地球国を創る

ONE WORLD

白川欽一
SHIRAKAWA KINICHI

幻冬舎MC

地球国を創る

はじめに

２０１９年1月から「地球は一つ-ＯＮＥ ＥＡＲＴＨ-」名でブログを掲載してまいりました。

ブログで、昨今、第３次世界戦争を予想する程、危惧した世界になりました。

人類の歴史を遡ると、人類誕生から現代まで歴史上争いのない時代は無いように感じます。

世界中の人は平和な世の中を豊かに暮らしたいと願っています。

世界平和は永遠に望めないのか？　イヤ、何かある。

世界中の国１９７カ国プラス数カ国、約２００カ国を統合して「地球国を創る」と現在地球上の全ての問題を解決できる事に気付きました。

地球国を創る事はとんでもない理論と思われますが、誰でも考えられる事です。

しかし、誰も地球国?なんて最初から無理だと諦めて問題にしないのです。

地球国が誕生すると、一つの国家になり地球上の人類が同一民族、同一国民になります。

例えば、ＥＵ（European Union）加盟国27カ国が加盟国同士で敵対国になり戦争に発展する事はあり得ないでしょう。

平和国家ＥＵ27カ国ができて、すでにモデルがあります。地球国設立の可能性が高まります。

ＥＵ版、地球国約２００カ国連合国を創れば世界が変わるように思います。

同じ国の国民同士になると、過去の因縁の歴史的対立とか人種問題、宗教対立も独裁国家や専横国家も過去の遺物、一つの国家、ひとつの国家政治が始まると、戦争がなくなり、ミサイルも、核のボタンも不要になり世界から軍備費予算がゼロになります。

地球国が誕生すると、地球上から戦争で命を落とす人がゼロになります。

争いの絶えない人類の歴史に終止符を打ち、戦争の起こらない世界平和が訪れます。

人口増加に、地球温暖化対策も、食料の自給自足と食料問題の解決、地下資源、化石燃料、人類の繁栄に必要な資源の一元管理政策を地球国で担います。

地球国が誕生する事は人類の生存にとって、メリットばかり、デメリットが見当たらない。

未来に生きる人類に最適な理想的環境を生み出す、地球国設立を目指して１００年を掛けて世界中の人に訴えて、世界中の国民が安穏に平和を満喫して自由な世界で生きて行く権利を主張しませんか。

「地球国を創る」声を上げるのは、日本国の総理大臣が世界中の政治主導者に直接訴える事から始めなければなりません。

「地球国の誕生は世界平和の大前提、必要不可欠な方程式」と世界中の民衆につないでゆきます。

一つの目的に導くには21世紀中には時間が足りませんが、私達の二世・三世にも託して、親子三世代で22世紀には地球国が設立されると思います。

地球国が誕生する頃に私も、あなたも生き永らえる事はできませんが、あなたの子孫、孫と孫の子供時代には世界が平和になり、先代の時代に未来を考える大計の発案と推進した事を喜ばれると思います。

目次

第1章　地球国を創る　Ⅰ

1

ＥＵの地球版、地球国を誕生させれば世界平和が訪れます

人類誕生から４００万年間の歴史を振り返れば
戦争の無い平和な時代は無かったようです。
そこで、地球上から戦争が途絶える平和な世界の実現を求めて
１００年をかけて「地球国」を創ります。

「地球国を創る」と世界は一つになり、全人類が一つの国民になります。

参考になるのが、欧州連合（ＥＵ）です。加盟国27カ国のようになればＥＵ加盟国同士が戦う事はありません。ＥＵの地球版、地球国を誕生させれば世界平和が訪れます。

ＥＵの進化版「地球国を創る」と地球上の全ての難問を解決する事が可能になる事をご説明させていただきます。

地球上に人類が４００万年前（推定）アフリカサバンナで誕生してから人と人の争いが始まり現代も続いています。

誰も止められなかった争いなくして平和で豊かな未来社会に変えたいと小さな声を上げます。

１００年後の地球に生息する人類と動植物の未来の繁栄を目指して、今から未来を変える運動を世界の人に訴えます。

一緒に行動しませんか？

私達の後世に生きる私達の子供や孫の為に、地球温暖化防止対策と世界の何処かで起こっているテロや何処かの国の独裁者から核のボタンから手を放させ、世界中から戦争をなくし世界平和を目指しませんか。

太古の昔から地球上で戦争の無い時代は皆無と言われていますが、地球上から戦争の無い永遠の平和な時代は望めない、諦めの世界から、平和が当たり前の地球にしよう。

令和の時代に生きるあなたに呼び掛けます。
２０２４年から「地球国を創る」声を上げても、１００年位の年月が必要と思われますが、１００年後に地球国を創れば、地球上の人類は皆兄弟、国境も不要、ミサイルと核戦争ボタンも不要になり、国同士の小競り合いの戦争も無くなり、１００年後の２１２３年頃には地球上から戦争と言う言葉は死語になります。
１００年後には、現在生きている私達は当然生きていません。
だから、世界の一部のリーダーは自国の為、自国の国民の為にと言いながら自分の栄誉と権力を維持する為に争いを続けています。

心の中に、争いを始めた責任は負う必要が無いと信じています。

何故なら、未来の責任を視野に入れてない、自分は１００年後に生きてないから、責任を負う事が無いからです。

地球国誕生で、地球上からは飢えた人をなくします。

飢餓や貧困は、戦争の原因のひとつ、地域紛争は食料や不安定な生活基盤から、民衆の不満が高まり、爆発して紛争に発展します。食料が不足する地域の人と貧困に苦しみ悩んでいる人たちの救済を地球国全体の課題として取り組みます。

そのための費用は軍事費の転用です。紛争がなくなり、世界平和になれば核兵器を含む膨大な武器、そして軍事費が不要になるでしょう。

世界中の軍事費は約２５０兆円（毎年軍事費は増加している。２０２２年の世界の軍事費は１兆９７８６億ドル＝約２６０兆円／日本経済新聞２０２３年2月15日の記事より）その一部を使うだけで食糧問題は解決できるはずです。

全ての国民と未来に生きる人々へ、持続可能な繁栄をもたらしていくことでしょう。

一方、現在の政治を取り仕切っている一部の人が既得権を保持する権力者の方もいます。「権力」と「名誉」と「富」のために、国同士の絆を望まない、民衆の為にならない誤った政治をする、あるいは独裁者にとって、地球国誕生は悪夢のようなもの。

あなたなら世界平和と環境を守るための地球温暖化防止対策のために、地球国の成立が必要だと思いませんか。

あなたなら、どう感じ、どの様な行動が必要だと思われますか？

現在の国ごとの統治国家では、国ごとの利益が優先され他国の利益は自国の利益の損失の道理で、平和につながる政治政策と違うように感じます。

でも、どうしようもないと思い、何もせずにこのまま、21世紀が終わり22世紀になっても世界は変わりません。

世界中の国民の心の中、考え方を変えなければ、未来永劫、世界から戦争の火種は残ったままです。

人類史上戦争のない平和な世界を創ろうといってもね、１００年後には俺は生きてないよね、だから興味ないわ、で終わらないでください。

あなたの子供の平均寿命は１００歳を超える時代です。あなたの子供の子供、そう、あなたの孫の世代の話です。あなたの子孫が現代よりも恵まれた環境で豊かで幸せな生活が保障される世界を創ろうとしています。

世界中には沢山の方が平和な世界を目指して活動されています。

私達、国民みんなが活動しなければ、未来を変えようと思う気持ちがなければ未来は変わりません。

未来を待っていても希望を叶えることができません。

未来を創るのは、今、生きている私達の務めです。

未来を変える、地球上の歴史を過去から学び、地球上から戦争をなくす運動をしよう。

人間だから、知性を働かせ、未来のあなたの子孫たちに良い先祖のお陰で幸せな生活ができると喜んでいただける行動を今から始めましょう。

2

地球国会で未来の人類に資する政治を行う

世界の国毎に行う政治体制を廃止し、世界にある国連加盟国193カ国とプラス数カ国を統合させて約200カ国で地球国を誕生させます。

約200カ国から代表者を選出して地球国連合議員による、地球国政治を行う、地球国会で未来の人類に資する政治を行います。

地球国が誕生すると地球連合国政府が人類に不満が起きない政治力を発揮するので、人間にとってメリットばかり、デメリットがありません。誰もが幸せな生活の保障をします。

世界が統一されると戦争は無くなり、軍事費を必要としない国家になります。

世界平和を実現するその為に世界の国が所有している、核兵器、ミサイルなどの、戦争に必要な武器を廃棄します。

地球環境を守るために、余剰となった軍備費、毎年250兆円の一部を使い、地球温暖化対策に、地球上にある砂漠の一部を緑化して食料生産を目指します。

100年もしない内に山脈氷河も北極の氷が溶けて南極の氷も消滅します。地球国ができてからでは遅いでしょうが、地球温暖化防止対策をして気温を下げます。

ただし、砂漠の生態系に配慮します。砂漠によって、成り立っている事に配慮します。

地球国は貧しさで飢える人をなくします。

約200カ国の中には穀物などの食料の豊富な国もあれば、食料の自給自足ができない国もある、地球国で調整して、地球国で生活に恵まれない貧しい人達の食糧は全て無償化して、地球上から飢えをなくし、貧しさをなくし、学びたい子供達は最終教育まで学費は無料に良き教育場所を提供すると、テロや戦争は回避できます。

地球上にある食料生産、化石燃料、地下資源、動物資源などの資源類は地球国にて一括管理して必要な国に配分して公平に資源が利用できるようにします。

地球環境を維持する権限で地球国が持つ核物資を含む廃棄物、産業廃棄物、エネルギーの排出量、人が生きて行くために必要な熱廃棄物も含め、地球国で一括管理して温暖化防止を世界規模で同時に実施します。

空も、海も、陸上の乗り物も各国で運営しないで全ての交通手段を地球国で一元管理します。１００年後の世界の乗り物は現在と異次元の乗り物になっているでしょう。地球国の全ての乗り物を地球国でコントロールします。

医療系に属する病院、医薬製造、など人間の生きて行く上で、必要な病理の回復に関わる全ての施設も含め地球国が関わります。

最大のメリットは国境が無くなり、アジアにもアメリカにもヨーロッパにも今の日本のように好きな街に引越しする事と同じ、ビザなしで旅行も移住も自由自在。

当然以上の事項を運営する地球国予算を約２００カ国が負担することになります。

3

世界中の人の従来の考え方、基本概念を変える世界共通教育を始める

人は善人の心と、他人を傷つける心と二面性を宿しています。

これは人類誕生から現在まで、食物や豊かな家族安泰の生活の為に人を殺め、他人との駆け引きをし、時には嘘もついて自分の安全を保身する生活を続けるＤＮＡを引き継いできたから。

現在から100年後に、地球国創立を目指す為には、世界中の人の従来の考え方、基本概念を変える世界共通教育を始めなければなりません。

基本概念は、100年後に核とミサイルを廃棄して、戦争の起きない、平和な世界と、人種差別をなくし、地球環境が現在より改善され、地球上から飢える人を無くす事です。

世界中の人は皆、豊かな生活が保障される世界を目指します。私達の子孫の幸せを私達先人が計画的に実行します。

未来は放置すれば破局へと進み厳しい環境となる予想ができます。

現代に生きる私達の心の中には弱者を助ける精神が宿っています。おぼれる人がいれば、人命を賭して救い、また、貧しい人を救済しようと努力する時があります。

反面、自分の不利益を避けて、自分に益するために人を蹴散らして、自分の幸せを勝ち取る事に精出し他人を傷つけてしまう人もいます。

人は心の中に正義と小悪魔的な両面を宿しているように思いませんか。

これも、人類が地球上に誕生して栄華衰退を繰り返しながら、食物を得る為の戦い、過酷な自然との葛藤から得た経験で、自分の種を永続させる為に培った遺伝子かも知れません。

先祖が歴史の中で学んだＤＮＡが働いているのでしょうか。

私達の先祖は自分の身を守り家族の食料を得る為に、山に住む民は自然の猛威で食物の不作になると、海に住む民の食料を奪う闘争をして、自分の子孫繁栄の為に他人を殺める。

風習が今に受け継がれ、これが人種差別につながっているように思います。


１００年後の世界平和を望み、肌の色での人種差別、宗教対立、国の生い立ちによる歴史闘争など過去の歴史的ＤＮＡの呪縛から解き放して、人類愛を優先した共通教育方針を全世界の国、全ての人に対し指導し、人類同士の闘争は悪、人は皆兄弟、正義の心を宿し、平和を愛する心を持った人を多く生み出します。

全世界の人類が同じ心を宿した時から、人類の繁栄と誰もが飢える事のない豊かで、平和で人種差別のない人類共存、宇宙の中で一番穏やかな星が誕生するでしょう。

4

人類は地球表面をお借りして生活しています

核戦争の開始も抑止も世界のリーダー次第、国民無視の政策で人類が破滅に向かいます。
地球の表面の一部に私達人間が勝手に住んでいます。
人類が環境を破壊すると地球の大家さんが機嫌をこじらせ
地球がチョット身震いすると地上の楽園は一気に崩壊します。

人類の繁栄と人類の滅亡へ、2022年、勝者と敗者の二者択一へ、世界の一人のリーダーがウクライナを巻き込み核戦争へのボタンのカウントダウンを開始しました。
2023年現在、私達は毎日核のボタンが押される心配をして、明日の未来予測ができない日々を過ごしています。
過去の領土問題、人種差別、宗教差別、大国同士意地の張り合いで、テロや国同士の争いになり局地戦から、何処かの独裁国のリーダーがミサイルのボタンを押して核戦争に至っても、ミサイル攻撃を受けた国もミサイルのボタンを押します。結局、どちらの国も壊滅的な被害を被ります。

核戦争で勝者になれる国は無い、と思います。

人種差別から自国優先主義争いが拡大して、核戦争が勃発、バラまかれた放射性物質で地球上が汚染され動物も人も住めない地球になり、生物が途絶えた地球になっても地球は何事も無かったように永遠に自転を続けるだけです。

忘れてならないのは、人類は地球上の表面を借りて住んでいるだけです。こんな理論は誰でも解りながら人種差別をする人、人種差別を助長する国のリーダーが居る、未熟な心を持った人が大勢いるのが不思議です。

自己の利益を優先する思想、自国主義を唱え、自分が次期国家のリーダーを目指す為に誰かを犠牲にして民衆に媚びる政治を行い、自分の自己保身の政治をしている独裁国家や専横国家主義を唱える人は、人類の未来にとって歴史的な損失をもたらします。

地球全ての国の人類の繁栄につながる政治をしなければ、戦争の火種は何処かで燃え上がり、核を使い解決する国も出てきます。地球上の国の全てが一緒になって地球環境を守らなければ、地球環境は近未来に悪化して、植物の衰退、弱小動物の消滅、次に人類へと環境は悪化して、地球が怒り、地球の表面に住まわしている生存物を一気に地球表面から一掃させてしまう事が起こらないよう願うばかりです。

地球にとっては、地球生誕46億年から考えると、人類の誕生の営みはほんの一瞬です。

地球表面をお借りして生息する人類です。地球から見れば、人類は地球表面の環境を悪化する敵になります。

地球上で一番強い動物の頂点にいる人間は、科学の粋を集約し、一瞬で膨大なデータを解析できるコンピューターを自在に操る事ができても、新型コロナウイルスが、数カ月で地球上の人間が感染する事の防止さえできない脆弱な近代国家です。ウイルス防衛にさえ四苦八苦しています。地球環境悪化で地球のご機嫌が悪くなる限界を予測できないのです。

科学的にも人道的にも、未熟な近代国家と言えます。

5

江戸時代に生きた人が今、タイムスリップして目の前に現れたら

今から170年前の江戸時代、ペリー提督が率いるアメリカ合衆国軍艦が浦賀に来航しました。日本人はちょんまげを結っていた時代です。

それから世界は大きく変わりました。

当時は地球温暖化の影響は考えられない生活環境でした。


100年後に、地球温暖化防止対策と貧困で悩む人達を救い、世界から核とミサイルを廃棄して人類史

上初めて戦争の起こらない平和な地球国を誕生させて、人類の幸せと、動物、植物との共存社会を目指します。

１００年後と言えば随分先の事と思いますが、人生１００年生存できる時代です。あなたは、生きてないかも知れませんがあなたのお子様、お孫さん、ひ孫の世代が１００年後です。

実感しにくいと思いますが、今から１７０年前江戸時代末期にペリー提督が率いるアメリカ合衆国軍艦が三浦半島の浦賀に来航し、その後久里浜に上陸してアメリカ大統領の通商条約親書を幕府に渡しました。長く続いた鎖国政策から開国へ導き大きく世相が変わった時代です。

１９２３（大正12）年、今より１００年前には関東大震災がありました。体験者は少なくなりましたが、阪神大震災、東北地方太平洋沖地震などと比べられます。

１７０年前の江戸時代は頭にちょんまげを結った武士がいました。士農工商など、人は生まれながらの階級社会に一部の人を除き、誰も不思議を感じず生きていました。江戸時代の農民は何代続いても農民、武士はよほどの事がない限り武士の家系を継ぎ、生活の保障はされています。商家は長男が家業を継ぎ、旦那さんと呼ばれ、そこで働く人も番頭さんと呼ばれる人から下男下女まで商家の階級に縛られていたようです。

　100年前の大正時代は江戸時代から比べると職業階級は改善されましたが、現在の生活環境と比較するとまだ、国民生活は裕福ではなさそうでした。

　昭和、平成と時代は変わり、令和の時代に変わり、大正時代と比べ、現在の国民生活レベルが格段に良くなりました、住居、衣類、乗り物、食料品、教育、家庭生活、政治政策も変わり、便利で快適な生活を過ごすことができるようになりました。

　170年前、100年前と比べると、現在の日本国民は平等である事の素晴らしさを有難いと思います。企業の中での組織による階級はありますが、現代は職業差別も人種差別も、男女間差別も改善されています。

　どうですか？　100年は地球の歴史から見れば一瞬の出来事です。今から100年先200年先の未来を、なすが儘に任すのでは無く、未来を予測して人類を含む生物が繁栄して希望の持てる世界を創る努力をするのは私達の使命ではないでしょうか？

　江戸時代に生きた人が今、タイムスリップして目の前に現れたら、驚き、何を感じるでしょうか。食生活も変化して大阪~東京間、新幹線では2時間余り、東海道五十三次の江戸時代の生活と現代人の生活を比べてどんな答えが聞けるか興味深々です。

　医学が進歩して、私のDNAを元に100年後に生まれ変わることができたら、どのような世界になったのか自分で見たい、生活を体験したいですね。200年後は医学の進歩で人の生命を変える時代になっているかも知れませんね。人間の寿命をコントロールする時代で、平和で豊かで自由な生活をエンジョイできる地球国が誕生していればこの上ない幸せですね。
そんな世界を、私達の子孫にプレゼントしたいです。

6

人口増加に国を挙げて取り組む

日本の少子化を人口増加国に変える大胆な政策、人口減を人口増加に踏み出します。夫婦と子供3人、5人家族構成の消費が増えて経済が回り、国が富んで国民の生活が豊かで平和な日本を創ります。

200年後には地球国が誕生して、あなたの子孫は幸せな生活を満喫していると思いますが、それまでに解決しておくことがあります。日本人口の減少です。100年後には日本国の人口は現在の半分以下になっているかも知れません(推測ですよ)。人口減は国力を削ぎます。
経済の持続を考えれば、人口増加が最大の方法です。昔のように子供が増えれば、子育て家計消費額が増えて経済が活性化します。

そこで、人口増加に国を挙げて取り組む政策です。戦後の日本は子沢山家庭でしたね。1940年~1950年生まれの出生人口は2010年~2019年度の1.8倍から約2倍でした。私の兄弟は5人、多い人は兄妹8人お爺ちゃんお婆ちゃんも居て、家族合わせて8人~12人家族も当たり前でした。食事風景も今と違います。お祝い事のある日は夕食にすき焼きとなると、兄弟で肉の取り合い、早い者勝ち、食事も競争世界でした。食料も乏しく、教育費も限られた時代ですが、学校にも村や町にも子供が溢れていました。放課後は遊びに夢中な楽しい時間を過ごしていました。

子供が生まれると成長に従い被服費、食費、教育費、サービスなど消費が膨大に生まれ経済が大回転します。消費が伸びると雇用が生まれ、雇用が安定すると子供が生まれ、良い社会が生まれます。

今の日本で問題が大きいのは高齢者の年金を若年労働者が肩代わりしていることです。高齢者が多く働く人が少数だと、一人の高齢者を負担する割合が増えます。高齢者が少なくて働く若者が多くなれば年金負担額が下がります。

年金の仕組みが富士山のように上が小さくすそ野が広い方が理想的です。

では何故、出生率が半減したのでしょうか。晩婚化、婚姻率低下、出会いのミスマッチ、そして経済的な悩みです。多くの女性が子育て教育費の心配をしているようです。結婚年齢の高年齢出産の危惧、夫の家事育児への協調性がない、産みたくない原因は多岐にわたるけど、まずこれをなくせば良いのです。

幸い、コロナウイルスの影響で夫婦での自宅でリモートワークが一般的になりました。これが解決します。通勤が無くなり夫が家庭で過ごす時間が多くなるので、夫が家庭業務の分担をすれば良いのです。夫婦だから共に子育てをすればよい、俺はダメだと言わないでね。大体の人は結婚式の結婚宣言で「夫婦共に助け合って」と宣言してますからそれ忘れないでね。

次に、子育て教育費用の問題です。これを国が全て引き受ければ良いのです。誰も反対しません。生まれてから18歳までの子供にかかる食費、教育費、子育て費を国が負担して、何人子供を産んでも子育てに関わる費用の心配がなければ２０２２年の日本の合計特殊出生率１・26から格段に上昇して行きます。

莫大な税金の出費だけど子供が社会人となり、それ以上の税金を国に納めてくれるようになります。政治家と経済の専門家と官僚の頭の切り替えが未来の日本の人口問題を解決してくれます。

結婚適齢期を早めるとか解決すべき問題はさまざまですが、人にはさまざまな理由があり、簡単ではないように思えますが、何とか解決策を見つけて人口増加という大きな課題に立ち向かう必要があります。

日本国の未来を豊かに希望の持てる日本にする。あなたの子孫に負の遺産を残さない。豊かな資産を残すのは今、生きている私達の仕事です。赤ちゃんを増やしましょう。

7

地球上での人類の繁栄は国民の幸せ度を反映した政策が大事

日本人はそれほど不幸だとは思っていません。
大方の人は何となく言論の自由を謳歌して、
何となく日本での生活に満足しているように思いますが？

日本国に住んでいる私達の幸せ度の世界ランキング、国連の「世界幸福度ランキング２０２３」で日本は47位です。

人は収入が多い方が幸せと感じるようですが、住んでいる国の生活環境など住みやすさ、国民の幸せ度も大事ではないでしょうか。無料の医療充実、余生を楽しめる年金制度、社会福祉制度の確立、住環境が満足できる、健康寿命を延ばし、地球温暖化対策を掲げるなど政治に対する信頼、国民同士の対人関係の完成度など国民の幸せ度を高める政治政策を実行できる地球国を目指しませんか。

地球上での人類の繁栄は国民の幸せ度を反映した政策が大事じゃないでしょうか。

２０２３年での世界各国の幸せ度ランキングでは

1位　フィンランド
2位　デンマーク
3位　アイスランド

経済大国3位（2022年GDP3位）の日本。

私も日本に住んで今まで、多少は満足して日本に生まれて良かったと考えていましたが、最近そうでもないと思うようになりました。

他の国に旅する事は有っても、長期滞在して他国の国民と暫く接してその国の生活状況、文化、人柄など触れてみる事はありませんでした。

沢山の国に住んだ経験が無いから、どの国が生活しやすいか、良否が解らないで自国が理想国家だと勝手に解釈していただけかも知れません。

統計上での幸せ度ランキングで判断すると、国民は他の国に住んだ経験をした人は僅かなので大半の人は今、在籍している国が良いと信じるのでしょうね。

世界一位のフィンランド以外にも別の意味でブータン国の国民も幸せ度では世界に認められています。

ブータン王国の政治姿勢は国民の繁栄と幸せ、国民の為に経済的独立、繁栄、幸福実現を目指すとあります。

精神的な豊かさを求めているようです。

翻り日本は？

国民にとって世界一幸せな国になれる？

どうすれば、自分の子供達、孫たちが世界一幸せな国に生まれて良かったと思える国を創れるのでしょうか。日本はその努力をしているのでしょうか。

できっこないと思っているからでしょうか？

あらためて、考えましょう。

私達は日本に生まれて、損した？

地球国ができれば世界中の何処の国にでも自由に行き来できて自由に好きな国に生活する事ができます。世界中が一つの国に統一され一つの国家になるからです。

地球国国民は一つになって、皆、平等で戦争の無い、自由で平和な生活を約束されます。

8

夢のような理想国家で幸せを満喫する生活

どれだけ豊かな生活ができても、子供が戦争に駆り出され、爆弾が近所で炸裂するような毎日を過ごしていては幸せな生活と言えない、私達の時代に戦争の無い世界を創り

１００年後に生まれたあなたの子孫に感謝される先祖になりましょう。

地球国が１００年後に創立すれば、ドローン自動車で旅行に行ける時代が来ます。ロボットが人の仕事の大半を担うようになり、人が働く時間は月に10日位かな、あなたは毎日何をして過ごしますか？

今から100年前の日本は大正時代でした。この時代の乗り物は人力車や馬車が主体で、車はごく少数の限られた人しか所有していませんでした。

大正時代からわずか100年後の現代は、東京~大阪間が新幹線に乗れば2時間30分です。

車もテレビも冷蔵庫も、電子機器もスマホも食料品もお金さえ出せば、好きな素材が何時でも手に入る便利な時代です。

では、現代から100年後の未来の交通事情はどうでしょう。大阪~東京間は夢のリニア新幹線なら1時間で行けるようになり、現在のバス便が空を飛ぶドローンバスになり、今の高速道路の上空には車に替わる個人が所有する自動運転ドローン車が行きかい、それを使って旅行できるようになっているでしょう。

仕事の内容も変化して、令和2年には、新型コロナの影響でサラリーマンの仕事がリモートワークで可能となり通勤地獄から解放され、自宅で仕事の時代が始まりました。

人の代わりをするロボットが徐々に開発されて、危険な仕事、単純な仕事、飲食店の従業員の仕事も大半がロボットに置き替わります。ロボットが人の仕事の大半を担うようになると、人間が一週間に働く時間は現代よりも格段に少なくなって、余暇を楽しむ趣味の世界が大きくなります。

１００年後に地球国が創立されてから１００年後、現在から２００年後の働く環境は、現在と全く違う事になるのは当然で、働く時間は月間10日を下回っているでしょう。毎日が休日、趣味に没頭できて、旅行も世界中何処にでも国境がないので自由気ままに好きな時に旅立つことができます。素晴らしい世界が生まれます。

今、生きているあなたが恩恵を受けないのは残念な話です。

ただ、後世に生きるあなたの子孫は、あなたの創った地球国のお陰で、夢のような理想国家で幸せを満喫する生活をする事ができます。

あなたの子孫はきっと言うでしょう。

地球国の平和革命運動をしたあなたが政治を変え、歴史を変えて地球国を誕生させたから、幸せな生活を過ごせるのは、全て先祖のあなたのお陰と感謝されるでしょう。

２００年後の地球環境を守り、戦争の無い世界と、食に困らない、人類皆幸せな国家を目指して、今、地球国を創るスタートを切りましょう。

9

何処の国の政治が優れているか検証する

地球国を創ると言っても、問題は誰が地球国を統治するの？
そこが、私にも解りません、皆で答えを探しながら進みます。

とりあえず過去の国を治める統治の歴史を振り返り、何処の国の政治が優れているか検証するべきと思います。

争いのない、言論の自由と平和で国民が豊かに幸せで暮らせる理想国家を創る、基礎が政治力です。

世界の国を見渡すと国毎に統治方法が変わり、どの方法が理想か悩みます。

やはり、人類の未来を見通せる力を持った専門家と言われる先生のご登場をお願いいして、世界中の国から代表者を選任いただき、喧喧囂囂（けんけんごうごう）とやり合って年月を掛けて最良の地球国議会を考案いただきます。

地球国による政治を司る機関と代表者の選任方法はさまざまで、日本のような民主主義国家と社会主義国家、独裁専横国家、選挙がある独裁専横国家など政治体制は色々。

国民の為になる政治体制はどうするか?

難しくてどの方法もひずみと問題を抱えています。


日本の民主主義も理想と思うけど、選挙で議員を選ぶ方法は国民の幸せにならない場合があります。

議員は次回選挙で国民の支持を得る為に国民の望む政策に同調します。国民は税金を安く、消費税も不要と考えます。その上、国に過大な負担を求めます。税金が安くて、要求度が高ければ国会では、税金で賄いきれないお金を国債に頼ります。

そうして、国家予算の三分の一は国債を発行して日銀が買い支えて、日本は世界最大の負債国家になってしまいました。

日本国民として生まれてくる赤ちゃんも借金1000万円を背負います。

子育て支援政策も立派ですが、日本国国民に生まれて幸せ?

疑問符がつきます。

だけど、日本で言論の自由が認められているのは素晴らしい。

私が、「地球国を創ろう」と言う自由があります。借金大国と言うだけで逮捕されそうな国がある中で、日本人で良かったと思います。

10

世界平和を望むなら世界教育方針を変える事から

現代の戦いは、指導者は直接戦地に行かない、ミサイルから身を守る攻撃を受けない安全な場所で指揮をして身の安全を保証できるから、平気で戦争を開始している。それを変えるには……。

戦争が無くならないのは、近代戦争では指導者がクーラーの効いた部屋で、ベッドで眠れて弾丸の届かない安全な場所で指揮を執り、轟音を立てて飛来するミサイルの下で寒さを我慢して命を犠牲に塹壕で土を枕に寝ている兵士の苦痛を実感体験しないから。

関ヶ原合戦のように大将が直接対峙して負ければ死につながる恐れが無いからです。

大胆に考えれば、地球国が誕生して、侵略したい地区の大将同士の一騎打ち勝負で決める法律を制定すれば、誰も侵略戦争を仕掛ける危険を冒す権力者は居なくなるでしょうね。

国境はどうやってできたのでしょうか。

民族間での紛争、過去の軍事戦争で他国を占領して自国の領土に強制的に組み入れた国、古代の戦争を因縁に現代も敵対する国、そして国の領土とは、人種、宗教、国民感情……。

国境ができた経緯はさまざまです。人は色々、国も色々。世界平和を考え、国境をなくす事を考えましょう。

国境の無い、四季に移動する渡り鳥などの野生動物から見れば、人間は本当に馬鹿だね、と思われそうです。

国境があるから、争いが生じる原因になる。

誰しも、国境をなくせば良い、争いも無くなり平和な世界が生まれると思うけど、誰しも、そんな事はできっこない、と言うと思います。

世界中の人が同じ考えでしょうか。でも、誰かが今世紀中に世界平和を達成しようと言い出しても、世界の国は教育方針が根本的に違います。

世界平和を望むなら、まず、世界教育方針を変える事から始めなければなりません。

国の教育方針は国の生い立ち、歴史観、主観的主義、道徳、礼儀作法から生活様式まで随分と違いがあり、教育方針を急に変える事はできそうもありません。

国の教育方針を変えることなく、世界平和を目指す、基本的教育を決めましょう。

地球国が人類を救い、地球温暖化を阻止して、平和な世界を望むなら、世界を一つの国家にした方がメリットがあると認識してもらう事から始めます。

世界中の人の衣食住を保障する制度と、国家が一つになると国同士の争い事は消滅します。

その過程に平和を愛する心、人を殺す事は最悪、戦争を望む指導者には、自分が前線に行き兵士と共に戦う勇気があるか?と問いかけます。

前線で直接敵対者と銃で戦い、寒くて固い土の上で直に寝て、冷たいパンをかじり、砲撃が身近に落ちて爆風を直接身体に感じ、明日は木っ端みじんになる自分の姿に怯えながら過ごす勇気のある戦争指導者は居ないでしょう。

日本をはじめ世界中の古来の戦法は、大将が直接戦の先頭に立ち、直接指揮をしました。

大将は、弓矢、鉄砲が飛び交う中で戦い、戦果を得て、国を治める長になれた。

戦に敗れた大将は死ぬか、敵の追っ手から命からがら逃避行をしなければなりません。

典型的な明智光秀は敗走中に武将以外の竹やりで命を落としました。

この時代までは大将が直接戦場に出て、勝者と敗者は命がけの戦争でした。


現代の戦いは、指導者は直接戦地に行かない、ミサイルから身を守る攻撃を受けない安全な場所で指揮をして身の安全を保証できるから、平気で戦争を開始している。

最前線で死を覚悟する勇気もなく、ミサイルで死傷する事もないから戦争をする、そんな指導者達の為に命を捨てる、哀れなのは、兵士や国民が命を犠牲にすること。

そんな指導者を選んだ国民の責任もあるけど……。

第2章　砂漠の緑化編

1

モンゴルで緑化事業にかかわった日本人がいた

2019年4月13日の朝日新聞に、
中国内モンゴル自治区のクブチ砂漠（中国で7番目の大きさ）の緑化事業に携わり
毎年植樹を推進している日本人がいたという記事が掲載されていました。

2004年にお亡くなりになった遠山正瑛さんが率いるボランティアの方が、30年間に5000平方キロメートルも緑化に成功したと掲載されていました。

新聞には等間隔に植林された写真が掲載されています。

遠山正瑛さんは、鳥取大名誉教授で、日本沙漠緑化実践協会を1991年に設立、砂漠の緑化に努力されました。

このように世界で活躍される日本人を誇りに思います。

クブチ砂漠の面積は18600平方キロメートル、今までに緑化された面積は5000平方キロメートル。

琵琶湖の総面積が670平方キロメートルです。中国では7番目の小さな砂漠ですが、琵琶湖と対比すると、5000平方キロは琵琶湖の7倍以上、日本人なら琵琶湖は淡路島より大きいと知っている人が多いと思いますが、日本の最大の湖の7倍以上の面積が緑化された事実は凄いことです。

大変な労力だったと思います、遠山さんはお亡くなりになりましたが、その意志は継続されているそうです。この緑化事業で農業、酪農、果樹など農業生産業に貢献して観光資源になり、住宅ができて人口が増え、村から街になりました。その経済効果は大きいですが、最大の効果は地球環境の改善につながることです。

一握りのボランティアの人達が永年頑張れば、クブチ砂漠のようなところでも緑化できる事が実証されました。世界中の国が一つの国になり、地球国で対応すれば世界中の大砂漠も緑化できると信じます。

100年後に始めても100年は掛かります。200年後の子孫に喜ばれるよう、世界の指導者に訴えましょう。それぞれの国は、自国主義の利益しか考えず他国と敵対するという小さな考えを捨てて、地球は一つ、世界も一つ、地球上に生活する人の為に成すべきことが沢山ある事に気づいてください。

とりあえず、アメリカと中国、日本と韓国は、感情、理性、知性を持って、お互いを尊重しながら根気よく、お互いの国民の理性が納得するまで話し合いを継続しませんか？

人類は地球という星に断りなしに黙って住んでいるだけですよ。これ以上環境を破壊させると、地球の怒りを買って500年後には人類には消滅しているかも？

2

無用の長物、砂漠を宝の山に変える

地球国ができて軍事費がゼロになれば、そのために使われる年間250兆円の一部を使って地球温暖化政策を進められます。200年後の未来へ、地球上の砂漠地帯の周辺を緑化して農業生産地帯に変えられます。

砂漠地帯周辺の草木がまばらに生えている地域に貴重な水を誘導して農業生産できる地域に変える事もできますが、砂しか無い、岩しか無い、純然たる乾燥地帯を農業生産地域にするには無理があります。

そこで、超乾燥地帯は年中雨が降らない太陽光線に恵まれた地域を太陽光発電エリアにします。もっとも、砂漠ですから砂嵐、強風が吹く、砂によるパネルの傷、砂が積もる、などソーラーパネルにとってマイナス要因もありますが、強烈な太陽光は利用価値があります。砂漠の中で地域を選び超大規模な太陽光発電を導入します。作った電気は送電線で砂漠近くの海に向けて送電します。海に面したそこには海水を浄化して真水に変換する工場を作ります。技術革新により、安価に海水を真水に変換する技術を開発、できた真水を砂漠地帯に送る給水パイプラインの送水ポンプを作り、その電力も賄います。

砂漠の近くに河川が有れば、河川の河口部から直接水を砂漠に送ります。何故、河口部から取水するかというと、河の途中から砂漠に水を供給すると、河川を利用して生計を立てている人たちの利権を取り上げる事になり、河川を利用する人達の反感を買い、事業者の反対圧力で河川から取水できない恐れがあるからです。河川の流れの途中でなく、河川が海に注ぐ手前、汽水域で取水します。綺麗な真水でなくても樹木散水はできるので、海に注いで真水が海水になる前に取水するのです。

砂漠の樹木散水と灌漑用なので、人間が飲める真水にする必要はありません。安価で大量の水を得る必要があります。できた水は、砂漠地帯まで、太いパイプラインで地上を這い、石油パイプのように、山をくり抜いて延々と遠い砂漠まで運ばれ、一時的に貯水されます。そこから灌漑用水路を通じて散水できる範囲に植樹します。

砂漠でも砂漠の中心は岩石と砂ばかりで草木も育たず、灌漑用水路も水を満たしても蒸発力と地中に吸い込まれる量が多いので、このような地帯を除きます。

砂漠周辺の草木もまばらながら繁殖して、村落もあり、農耕や放牧で生活している人がいる地帯から始めます。
砂漠のある国の位置により植樹する樹々は、土地に適した植物を植えます。
砂漠地帯の周辺が草木に覆われるとそこでは、新たな環境が生まれ、環境が変化すれば新たな仕事が派生して、緑化された土地では放牧、果樹園やコメの生産、野菜の生産など一大農業生産地域が生まれます。多くの人に仕事を与え多くの人が住みつくと村落ができて、砂漠を緑化する大勢の人も増え、経済活動が活発になり、街が生まれ莫大な経済価値を生み出します。

地球温暖化防止と、今まで無用の長物だった砂漠を宝の山に変え、ソーラー発電と食料生産などで経済発展し、砂漠がある為に困っていた国が、砂漠から莫大な富を作り出すことができます。

ただし、日本の鳥取砂丘は観光施設なので緑化しません。

むしろ、海面の上昇により、砂が減少して砂丘が消える事の方を心配しています。

3

砂漠を利用している人たちの生活の問題の解決

氷に覆われた北極も南極も草木がありませんが、砂漠に分類されるようです。

１００年後には南極の氷が解けて広大な大地と化すでしょうが、緑化事業から外します。


私達が考えている砂漠とは、砂地が続き年間雨量が少なく、草木の育たない地帯と想像しますが、降雨量の少ない南極、北極も将来は砂漠になるそうです。

砂漠をなくすことは、南極、北極の氷を守る地球温暖化を防止するための一つの提案ですから、この両極を除く、アフリカのサハラ砂漠、中東のアラビア砂漠、アジア地区ゴビ砂漠などの砂漠を緑化することで、地球環境を整える事が必要と思います。

でも、問題があります。

砂漠を利用している人たちの生活の問題の解決です。また、砂漠で厳しい環境ながら生息している、動植物、昆虫の存在。砂漠から発生する、砂嵐による被害は軽減できるけど、砂嵐による食物連鎖や、山を越える時樹木の肥料になる、山を越えて海中に落下してそれを利用して生きている生物に与える影響を考え、緑化を進める必要があります。

現在の砂漠地帯も太古の昔には緑に覆われていたかも知れません。

昔のように上流に雨が降り、川に注ぎ水が地中に満ちて草木が生えて、砂漠そのものが完全緑化されると、地球環境が随分と良くなるでしょう。

砂漠化を防止して、緑化を進めるには、水資源が必要ですね。

地図で確認すると、砂漠地帯は国境を越えて複数国に跨り、一カ国だけで解決できない砂漠もあります。

砂漠の緑化は関係各国の利害関係を調整して承認の上に実施する、気の長い時間と莫大な資金投資が必要です。

水すら貴重な砂漠地帯で生活をしている人を考えると、我々が水道の蛇口から何時でも水を使える環境に感謝して、昼食のサラダと熟した果物を食べながら、日本で生まれた幸せを噛みしめています。

この幸せを、生まれた時から一生を砂漠地帯で生活している人達に、私達と同じ生活環境を創れば随分と喜ばれるでしょう。

4

海水を大量に安価に浄化できて、遠くに大量に運べる技術

砂漠を緑化する（砂漠の中でも高地を有する山や岩石の草木に適しない部分は除く）水の確保方法は二つあります。
河川取水と、砂漠の植物に散水する真水を海水から大量に安価に作る、どちらも膨大な費用が掛かります。

２００６年に誕生したｉＰＳ細胞は、本人の血液、皮膚を使って臓器移植に必要な組織を培養利用できます。未来に生きる人類の生存年数を変える大革命を起こします。ノーベル学者山中伸弥教授らが開発しました。

ｉＰＳ細胞のように、無から有を生み出す事は世界を変えます。

これと同じように、海水を大量に安価に浄化できて、遠くに大量に運べる技術を、日本の企業は開発できるのでしょうか？

地球上にある真水は2・5％、海水は97・5％だそうです。（２０１０年版『図で見る環境白書』より）

この内飲料に使えるのはどのくらいでしょうか。

砂漠の緑化できる地域に農園を造る為の散水量は、想像を超える大量の真水が必要です。

幸い、植物に散水する水は飲料水道水のような高度な真水は必要としませんが、「植物に散水する程度の水」でも永続して膨大な量を必要としますので、安価でなければなりません。

もう一つ、砂漠と河川との距離も重要です。砂漠の横に河があるなら問題は少ないですが、取水する河と遠く離れた砂漠の緑化の場合、浄化された水を遠方の砂漠に届ける技術も必要です。

地球の未来を良好にする私達の責任は重大です。

創業から200年も300年も繁栄する企業はどれだけあるでしょうか。

あなたの会社の寿命を延ばす為に、100年後にも活躍できる、緑地化された土地に安価に大量に散水するための真水事業技術開発を今、始めませんか？

地球上にある真水2・5％を増やす事業は、今後脚光を浴びる産業になります。

すでに、海水浄化技術で成功活躍している日本企業もありますが、「安価で大量」が問題です。

太平洋戦争時から、船舶の飲料水や、真水が無い孤島、サウジアラビアなどの真水が無い国で海水浄化が実践されています。が、砂漠を緑に変える緑革命を裏付ける水の製造技術では、この「安価に大量」が条件です。

将来は日本企業技術が世界を席巻できる商機です。

日本経済も潤してくれます。

将来は、北極の氷も南極の氷も山脈の氷河も解けて水となり海水に混じり、陸上から真水が海に流れ出て、地球の真水量が2・5％から更に低下してしまいます。

真水と関係ない会社も、真水大量製造技術の認識をもっと高めましょう。会社に提案するのは、あなたですよ。

あなたの会社が22世紀に世界貢献できる会社になれるよう、ご検討ください。

現世代に生きる私達が未来に生きる私達子孫の為に、地球を守る努力は必要です。

5

軍事費を利用して緑化事業を

砂漠の緑化事業費用は、地球国を誕生させると無用となる全世界の軍事費２５０兆円を活用する。

アジア最大の砂漠地帯、ゴビ砂漠とタクラマカン砂漠から、舞い上がった砂塵が東アジア一帯に影響を与えています。

春になると韓国を過ぎて日本海に落下して、更に遠く、日本にも黄砂が飛来しています。

この二つの砂漠に、遠く黄海の海水から作った水を、山をくりぬき地上に敷設した石油パイプのような送水管で運びます。両砂漠の周りの灌漑用水路に水を運ぶのです。

膨大な事業費を必要とします。その費用は世界中の国が一つにまとまり、地球国が誕生すると、地球上の国は戦争から解放されることで作られます。

地球国人は人種間、宗教も、国同士の歴史対立は世界平和の大義を掲げ、過去の遺物として新しい未来に向けて歩み出すのです。

戦争は過去のものになり、平和な世界が生まれます。地球上から戦争が無くなると、アメリカ、ロシア、中国、日本も含め世界の国々の膨大な軍事費用がゼロに近くなります。

２０２０年度国防費はアメリカだけで、83兆円？

２０２０年米国国防省発表の軍事支出費は７７８０億ドルです。２０２０年時平均日本円１０７円で換算しています。

ロシア、中国、日本など世界中の国防費は、年間２５０兆円を超えるでしょう。

その費用を送水用パイプライン敷設費、施設管理費に充てれば、何本ものパイプラインが敷設できます。毎年、軍事費にあたる２５０兆円を投入し、10～50年と継続すればそれほど困難な事はありません。

アメリカのネバダ砂漠の真ん中にはラスベガスがあり、

大都会を形成しています。水さえ有れば砂漠緑化計画はできない理論ではありません。

地球国ができてから、世界の南極と北極を除く（氷が消滅すると砂漠になります）亜熱帯地帯の砂漠の緑化計画を１００年掛けて実現すると、地球温暖化を抑止できると同時に人類の増加対策、食料危機も乗り越えられます。

地球国を創る？　できる訳ないと思えばそれで終わり、永遠に地球国はできません。

地球国が誕生しなければ未来も戦争は続きます。

地球環境が悪化して、取り返しがつかなくなってからでは、遅いのです。

私達の子孫が平和で幸せな生活ができる環境を私達の世代で、始めましょう。

6

地球国を創る100年間と、地球国ができてから取り組む事100年間

誰も手が付けられなかった不毛の地を、緑あふれる事業に。
世界中が一丸となって挑まなければ、地球温暖化を防ぐことはできず、
気が付けば元に戻れない生態系になってしまいます。
できるだけ早く、砂漠緑化事業を私達の世代で始めましょう。

誰しも砂漠を映像で観た事はあると思います。

旅行先でその雄大さに驚いたこともあるでしょう。飛行機で砂漠の上空を横断する事があれば、太陽の

熱射照り付ける茶色の砂が幾重にも重なる高低差による陰影を描きながら、砂丘が果てしなく続き途切れる事のない砂漠の広大さに驚かれると思います。

砂漠の緑化事業と言っても簡単ではありません。

何故、砂漠になったか？

何時頃砂漠に変わったか？

砂漠になった原因は、地球の気象条件、気候変動などさまざまです。

砂漠地帯は年間雨量が少なく、海で蒸発した水蒸気が雲となり、湿度を持った空気が高い山に阻まれ冷やされた空気は水蒸気となって山の手前の土地に大量の雨をもたらしますが、雨が砂漠に到達するまで、山を越える頃には水蒸気を出し尽くし乾燥した空気になってしまうのです。そうして砂漠地帯にカラカラの風となって吹きすさび、土地に生えている草木を乾燥させて広大な砂地だけの土地が出現します。

この砂漠と呼ばれる土地を緑あふれる土地に蘇らせる、壮大な夢のような物語です。

世界の国の大物政治リーダーが訴えなければ計画だけで終わりそうなプロジェクトですが、訴え続けます。

近年の経済活動による地球温暖化進行中で、砂漠化地帯が増えて行く傾向をじっと待っているよりも、砂漠化の進行を遅らせ、次に砂漠を緑の平原に変えて、放牧と、さらに、林と森を生んで穀物の生産に適した土地に変える事ができれば、世界中の人類が食料に困窮する事もなくなります。砂漠地帯が消滅して全て緑化できれば、気候変動を随分と軽減可能です。

地球国を創る１００年間と、地球国ができてから取り組む事１００年間で砂漠の緑化が進み、地球温暖化を止めれば、食料生産が安定して供給できます。

夢が夢で終わらないよう、皆様も真剣にネットで発信して世界の世論を呼び起こしていいのです。

地球国を創らなければ人類の未来は無いと世界の人が思うなら、民衆の票で動くのが政治家です。政治家は自分が政治家でいられる道を選びます。

問題は、独裁国家です。

でも、ご安心ください。独裁国家もリーダーが１００年以上政治を司る事はできません。

民衆の力は偉大です。何時かは政治生命を失う事を歴史が証明しています。

少し時間が掛かりますが、１００年掛けて地球国を誕生させましょう。

7

砂漠の緑化には大量の真水が必要

地球上に存在する砂漠といわれる場所は雨水に恵まれない原因で不毛地帯と呼ばれ、動植物が育つには過酷すぎ、そこを緑化して動植物が育つ環境に変える事は、不可能と言われています。

現在では中国で緑化を進めている砂漠もあるようですが、地球上の全ての砂漠を緑化して地球環境を根本から改善する試みを、１００年後に地球国を創立後50年掛けて完成させる計画です。

温暖化防止と膨大な土地が緑化により穀物生産、果樹園と砂漠の緑化できない場所では太陽光発電を行い、人が働く職場が生まれ、住宅ができ、やがて都市が出現します。莫大な経済効果が生まれます。

砂漠と言っても人と同じで砂漠の個性も色々です。年に数ミリしか降らない完全乾燥砂漠と、年にまとまって大量の雨が降る、しかし、半年は乾燥した期間が続く砂漠と、岩山の続く岩石地帯と、位置が海抜数千メートルの位置にある砂漠、砂漠の所在する位置によって気象条件が変化します。

昼間気温と夜間気温が極端に違い、植物の生育に適さない砂漠地帯が多いようです。

北極、南極も緑が無いので砂漠地帯に分類されるそうです。


砂漠の状態は一様ではないようですが、どの砂漠にも水が必要です。学校の砂場に水を撒いても水は砂に吸い込まれて湿り気のある土にはなりません。乾燥地帯の土地に如雨露で水を撒いても、一瞬で蒸発して土に湿り気を与える事は至難な事業になります。

そのためには大量の真水が必要です。自然現象の雨のようにまんべんなく膨大な量の水を供給する事は難しいことです。だから最初は、砂漠の中心の草木の生えていない砂地の乾燥砂漠地帯を除きます。

砂漠といわれる周囲には完全砂漠化していない、草木がまばらに生えている地域があり人間生活を営んでいる地域があります。

そこには家畜が生育できる草木があり、乾燥に強い作物もわずかながら生育して人間の生活ができていきます。その境界域から緑化を始め、そこが緑化すれば更に過酷な砂漠の中心に向かい緑化を進めて行きます。

緑化事業は乾燥地帯で一生を終える人達に大きな恩恵をもたらします。

まず、緑化事業に関わる人達に新たな職業が生まれ、多くの人達が従事すると、関係者が地域に集まり、家がまばらだった所に村ができ、やがて緑化事業が進行すると、最初は草木地から、熱帯性の果樹園、トウモロコシ、野菜類に変えて行きます。

当初は想像を超える苦難が予想されます。

植えた食物には害虫が殺到するでしょう。人が食べる食物は害虫にとっても美味しい食物です。その上、地球温暖化の進行で突風が発生して砂嵐が頻繁に起こり、押し寄せる砂で作付けした苗が一夜にして砂に埋もれてしまう事も予想されます。

根気よく人智を尽くしてめげずに緑化事業を継続します。

環境を守りながらの肥料施肥、散水をしても容赦なく照り付ける太陽で大地の温度は作物の生育環境を破壊します。もっとも困難な事は昼間と夜間気温の差がありすぎることです。

作物の生育環境に適しないから砂漠になった訳で、砂漠を緑化する事の難しさを乗り越えるには作物改良から始めます。

過酷な環境地帯を緑化するには、莫大な資金が必要です。

でも、安心ください。地球国が誕生すれば軍事費が不要になり、予算は余るほどできます。

お金は使いますが、砂漠の緑化部分が増えると、使ったお金以上の経済効果と一番効率の良い地球温暖化対策が得られます。

平和への一歩、ミサイルや核弾頭は即、廃棄しましょう。

8

海水を浄化する方法は蒸発法と透膜ろ過法があります

広大な砂漠を緑化するには砂漠の規模に応じた水が必要です。雨水に頼れない乾燥地帯を潤す膨大な量の散水の確保はどうする？

一番に考えるのが、乾燥大地の地下水脈ですが、砂漠に貯水池を創り、疎水を巡らして砂漠に十分に行きわたらせるには、限られた量の地下水脈では足りません。いつか枯渇しますので、絶対利用しない方が良いと思います。

次に前回説明した海水浄化方法です。海水を浄化する方法は蒸発法と透膜ろ過法があります。海水蒸発法は、海水を熱し蒸気から水分を集めます。熱源として化石燃料を利用する事は温暖化に反するので、砂漠の太陽熱を利用します。

太陽光を利用して、昼間に海水を温めて、夜間に太陽光発電で得た電気を利用して蒸気と真水を作ります。この方法は海に近い砂漠に適合するでしょう。

もう一つの海水透膜ろ過方式は、特別な透膜を利用して海水に圧力を掛けて透膜で塩分を除去して水を作ります。

この方法も海水に圧力を掛ける為のモーターなどの電力が必要になります。勿論、太陽光発電を利用します。

いずれにしても砂漠を緑化するには膨大な量の真水が必要です。安価に真水製造ができることが条件になるので、技術開発がどこまで進むか、専門企業の相当な努力を期待しています。

最後の、もっとも安価に大量の真水を取得できそうなのが、前にも触れた、河川水を利用する自然方法です。

砂漠緑化水源は、大概は砂漠と相当な距離のある河川から取水する事になります。

此処での問題は、取水河川の所在する国と、緑化する砂漠エリアが違う国になると、そこから受益者と利害関係が生じることです（一つの国が砂漠緑化用の水を得る為に、他国に属している河川から水を取得する。通常ではあり得ない事です。その為には全ての国を一つの国にする地球国ができなければ、他国の真水利用方法はどこの国も受け入れないでしょう。この計画は地球国が誕生した事を条件に説明しています）。

はるか遠くの河川水を利用する計画が進んだ場合、河川のどの位置で取水するかという課題は、取水河川が海に注ぐ川水と海水のまじりあう汽水域の水を取水します（詳細は２－２を参照）。

後は、今まで海に流れこんでいた真水が減少することで、河川の周辺の魚介類などの生態系と漁業資源に影響を及ぼすかどうかという事も、事前に関係機関と相談解決します。

山を越え、複数の国を越えながら、はるか先の砂漠まで、天然ガス、石油パイプのようなパイプラインで山をくりぬき、延々と送水管を敷設します。砂漠地帯に到達したら一旦貯水池に溜めて、そこから灌漑用水路を利用します。

石油やガスの場合、パイプラインで送って高額な費用が掛かっても、それに見合う報酬が得られるので行われていますが、砂漠の緑化事業水には、報酬はありません。ですが、それは、地球の温暖化防止投資費用です。人類生存に必要な環境維持に必要不可欠なお金です。

9

太陽光発電を利用して送水ポンプを動かす

地球国ができて初めて可能になる緑化事業。
緑化指定された砂漠の周辺では事業に関わる人達に膨大な雇用を生み出すでしょう。

砂漠を緑化するために膨大な水が必要ですが、砂漠の近辺から水は求められません。はるか遠くの河川から給水パイプで山を越え、国境を越えて送水しなければなりません。そのために、砂漠の緑化に適しない地域に太陽光パネルを敷き詰めて電気を起こし、自前で送水パイプの送水ポンプ費用を賄います。

太陽光を設置するにしても、岩しか無い岩石地帯、高低差のある砂漠の山が連続で続く熱砂地獄、時には砂嵐が吹きすさび、パネルを埋めてしまいますし、パネルの表面に砂粒で無数の傷をつけて、太陽光の妨げになるなど、事後のメンテナンス費用も莫大になります、砂漠地帯は想像を超える過酷な世界なので、太陽光発電場所の選定が大事になります。

砂漠を緑化する為の水は、遠方から送水パイプで送られてきます。水はタダでは賄えません。年中24時間送水され電気代は膨大な金額になるでしょう。

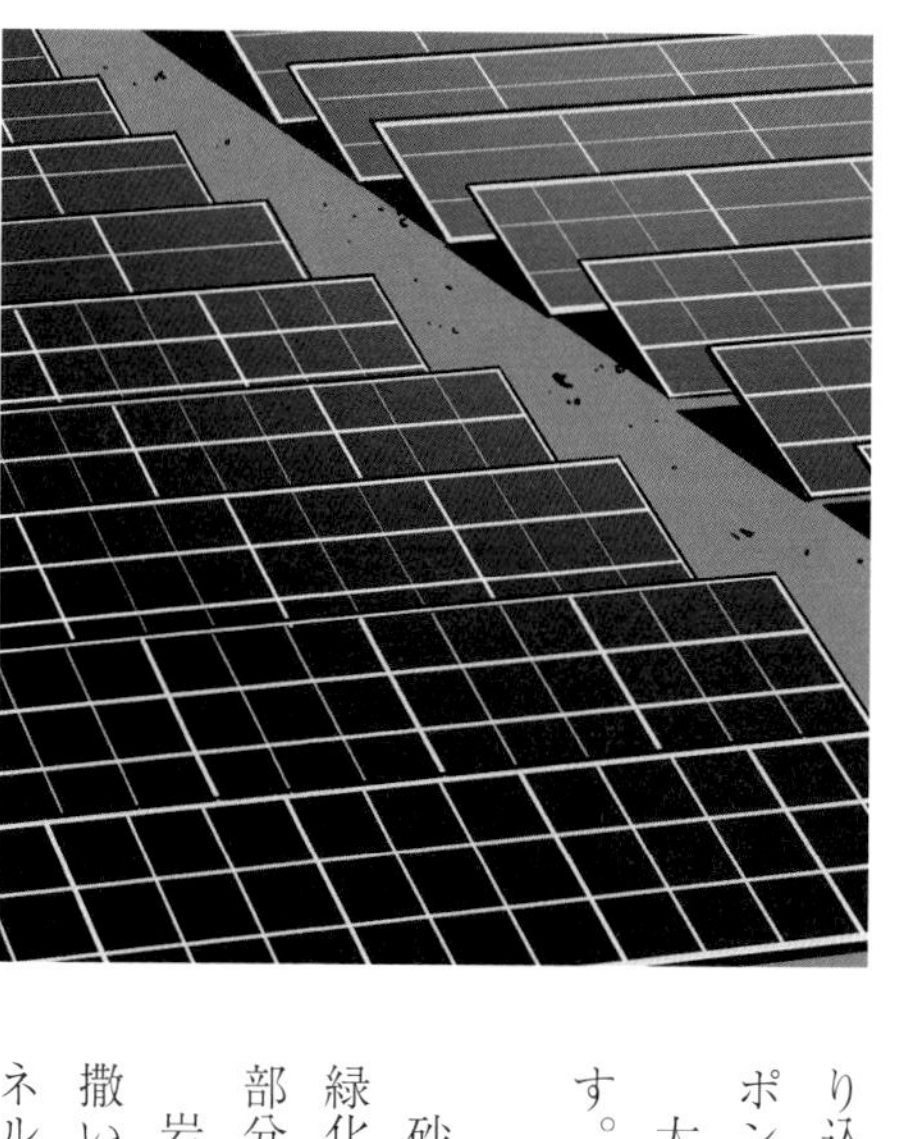

それ以外にパイプ敷設費、メンテナンス維持費、水を取り込む河川の環境変化による関係者への対策費、送水するポンプの稼働費用を賄う為に、太陽光発電を利用します。太陽光以外に、砂漠に風力発電も利用できればグッドです。

砂漠に水を供給しても草木の育たない地域ができます。緑化事業は砂漠の外周（少しはまばらに草木が生えている部分）から始めます。

岩山や、砂しかない、熱砂激しい中心部分は無駄に水を撒いても蒸発するので緑化できない場所に太陽光発電パネルを敷き詰めて効率良く電気を作り、送水ポンプの電気費用を自前で賄います。

しかし、太陽光発電しても取水ポンプ、送水ポンプは砂漠地帯から他国を越えて、はるか遠方にあります。

砂漠地帯で造った電気も送電距離が遠くなると電力が弱くなってきます。いくら高圧送電しても距離が長くなると電力損失が発生するので、無駄に電力が失われてしまいます。

そこで、砂漠地帯で造った電気は砂漠の近隣の国の町、村、街に電気を供給します。その電気料金で取水ポンプ、送水加圧ポンプの電気代を賄います。

文章にすれば簡単なようですが、砂漠のある一つの国で事業推進するには、人的資源、機材、経済力など莫大な費用を賄う事は不可能で、世界中の国の経済協力がなければできない事業です。

地球国ができて初めて可能になる緑化事業です。

この事業を進める事で緑化指定された砂漠の周辺では事業に関わる人達に膨大な雇用を生み出すでしょう。

取水口の河川まで送電線を敷設し、農作物を栽培する送水ポンプの費用を賄う

このまま地球温暖化が進めば、１００年後の世界は、食料自給率が減って餓死者が出る。
あるいは人口増加で食料供給ができず食料資源国の住民しか生き残れない恐れがある。
日本も食料の自給率の低い国、危機的状況を回避しなくてはなりません。

地球の未来の気候変動をやわらげ、昭和初期の気候に戻す事ができれば、今後１０００年経っても日本では冬には雪が降り、夏は暑くてもしのぎ易く、スーパー台風も発生せず、農作物への被害も減ります。

地球温暖化防止対策の一環として、地球上の緑化できる砂漠を農作物の収穫ができる緑あふれる大地に変えたい、その為に、膨大な水を運ぶために送水パイプを巡らし、砂漠に水を供給します。その電力に砂漠の熱源を利用します。

もし、砂漠地帯で太陽光発電電力を河川取水地域に直接送電できれば問題解決ですが、砂漠の位置は大概、内陸部の中心に位置して近隣に水を取り入れる大きな河がありません。

そこで、水を取り入れる河川まで、送電線を敷設して送水ポンプの費用を賄います。が、問題は遠方に送電するには電気抵抗を考慮しなければなりません。

起こした電気エネルギーを遠方に送電する途中で送電線の抵抗などで１００％の電気量が遠方になればなるほど、送電損失で電気量が減じます。電気は送電距離が長くなれば電気量が減じる事になるので、砂漠の近隣国で消費できる地域があれば電力を売ってその利益で送水パイプのポンプ加圧費用を水の取り入れ口の国に支払います。

できないと考えるより、できる方法を見出す、想像力と知性と努力と実行力で実現する事ができるのは人間だけです。

11

緑化事業を成功させるためには「地球国」が必要

砂漠の緑地化事業に必要な、複数の国に跨る送水パイプや太陽光発電の電力を送電するケーブルの敷設が、国同士の対立により国境が邪魔をして、その事業が頓挫するリスクを負います。どうする？

砂漠を緑化する事は、砂漠による経済損失を被っていた国にとって、砂漠が緑あふれる穀倉地帯に変わり、国の経済的利益が生まれ、地球環境が良好に激変して砂漠公害が一転、国を潤すことになり、一挙両得です。

が、一つの砂漠が複数の国の国境を跨いでいる場所もあり、歴史的理由による民族間対立、宗教、宗派の争い、独裁国家と国同士の対立など、簡単に不毛の土地を緑化しましょうといっても、何処かの国の反対があれば実現できません。

国のリーダーは自国優先、自国の不利になる事は認めません。

自国の河川水を取水して自国を横切る他国を潤す電線ケーブルと送水パイプは邪魔でしかありません。まして、他国の砂漠を潤し自国の利益にならない事業に同意してもらえない事は明白です。

パイプで送水するにも、送電するにも、複数の国を通るので、砂漠の緑化に対する各国の利害関係が生じ、簡単には進みません。

その為に、世界の終わりにならない？内にやり遂げなければならない事があります。

世界中の国の国境を取り除き、世界の国を一つにまとめ、一つの国にする地球国を創ることです。そうしなければば実現できない事業です。

地球全部が一つの国になれば、国境がもたらす弊害リスクを軽減できて、何処の砂漠でも送水パイプ、電気送電線も国同士がいがみ合う事もなく何の抵抗も無く自由に敷設できます。「地球国」は緑化事業を成功させる条件です。

他国の緑化事業で得た利益は地球国で共有して、自国の利益に還元されれば平和な世界が実現できそうです。

地球の気候変動による地球の未来、人類の未来の事を考えると、できないと考えるよりも、実現できる可能性を考えて進めませんか？

私以外の皆様の思いが通じれば、小さな運動を始め、やがて世界の民衆に伝わり、うねりになって、政治を執り行うリーダーを動かし、１００年を掛けて地球国創立が平和の到来と地球温暖化防止の最高の得策と認められると思います。

如何です、できないと諦めてはダメです。

できないと諦める事が一番ダメな事です。できない事をやり遂げるのは人類の知性だと考えるのですが？

12

地球温暖化を防ぐために「地球国創立」が必要

砂漠を緑化する植樹は50年続き雇用を生み出し、農耕地に生まれ変わった場所は街ができ、やがて都市が形成される。緑化事業に費やした以上の経済効果が生まれ、地球の温暖化防止に多大に貢献します。50年間の事業成果が永遠に富をもたらします。

緑化事業は膨大な人件費と、それ以上に水を供給する設備の維持費用も膨大になります。一番大事な事業費の捻出は元軍事費で賄います。

もう一度詳しく説明させていただきます。

地球国が創立できれば、世界の国は一つになり、国民は皆等しく地球国民になります。

だから、何処の国に住んでも良いだけでなく、地球国民は人種、宗教に関係なく同一国民になり、国境も不要になります。争いも無く、平和な世界が生まれ、民族間の政争も、宗教の歴史的紛争も、独裁者による人民への統制も無くなり、人種差別も不要で、歴史的紛争国同士の係争も無くなります。人類による争いは悪で、正義を重んじ、人道主義を中心とした政治改革ができれば、世界から、戦争に関わる武器は不要になり、核もミサイルも廃棄されて、兵隊さんも不要になります。戦争維持費も国防費も、世界中の戦争に関わる軍事費がゼロになります。

ところで、現在世界中の軍事費はいくらなのでしょうか。

兵器の製造費、維持費、軍隊の人件費、兵器開発費、など近年は増加傾向にあり、２５０兆円を超えて年間３００兆円になりそうです。

軍事費に関わる企業による経済利益もあり、経済流通は複雑で簡単に割り切れませんが、この費用を転用して砂漠の緑化事業に充てれば、緑化事業による経済利益と地球環境を良好に保つ経済利益の方が上回る効果が出ると思います。

砂漠の緑化で生まれる砂漠地域の経済的効果と合わせ、温暖化防止効果による地球規模での経済利益と、軍事費産業で収益を上げる企業の経済利益とどちらに軍配が上がるか計算していただける、経済学者はいらっしゃいませんか？

平和は戦争で傷つく人も無く最大の経済効果だと思います。

人が生活して生きてゆく為にはエネルギーが必要で、カーボンゼロ政策でも何等かの火力を使い、地球温暖化はゆっくり進むでしょう。

やがて、数百年後には地球に人類を始め生物が住めなくなる時代が来るでしょう。

それを防ぐには地球国創立が絶対に必要な時が来る、人類がその結論に行きつく時を速めましょう。

私達の子孫が人類に生まれて良かったと思える、幸せな生活を残してあげるのも私達の責任です。

13

炭素税と緑化事業協力金

広大な砂漠を緑化する仕組みに不可欠な、膨大な水を供給する施設費の捻出のために、軍事費以外に化石燃料を利用する事業運営会社から炭素税を徴収します。

1、世界の国が一つになり地球国が誕生すると国同士の争いが無くなり、国を守る防衛費、攻撃用軍事費が不要になります。この軍需費を砂漠の緑化資金にします。
2、もう一つ、化石燃料を利用する企業から二酸化炭素量に応じ、緑化事業費負担を求めます、企業が直接、砂漠の緑化事業を行う事も選択できます。

砂漠の緑化事業で地球温暖化防止に相当な効力が生まれ、新たな経済効果が世界を豊かに潤します。

砂漠の規模はさまざまで日本国の総面積数倍の大きさを所持しているデッカイ砂漠もあります。

毎年砂漠化が進み、地球の緑が失われてゆきます。地球温暖化による砂漠化の進行を止め、緑の平原から林に変えて、森を創り、牧草地帯、穀倉地帯を創る、そのために水のない大砂漠地帯に水を供給するには、膨大な費用が要ります。

地球国を創立すると世界中は一つの国になりますから、世界平和が訪れて国同士の争いのための軍事費は不要になります。軍事費を緑化事業に回すのも一つの案ですが、地球温暖化防止対策には国民と企業の努力が必要です。企業が経済活動することで生じる二酸化炭素濃度を下げる為に、緑化事業協力金の徴収を致します。

世界では、石炭火力発電所は温暖化防止上なくす方向になっているのに、日本では現在も石炭火力発電所が稼働しています。大気にガスを放出する無責任な経営方針を改める為にも二酸化炭素の排出をする企業からガスを排出する分、ガスの浄化費用を負担してもらう仕組みを導入します。

企業が二酸化炭素の排出権を利用すると製造費コストが上昇して、コスト増は当然消費者が費用負担する事になります。

結局、私達消費者に温暖化防止の費用負担を強いられます。

あなたが勤めている会社が、地球温暖化防止に背を向けて経済活動をしている経営陣で構成されていると、将来の歴史検証で、未来の生きる人達からできの悪い経営者だった、とレッテルを貼られる事になります。

そんな経営者に、この本を読むよう、勧めていただけませんでしょうか？

14

砂漠緑化事業で1900年頃の地球環境に戻す

砂漠を緑化するもう一つの大事な目的があります。それは、真水を増やすことです。

世界の砂漠を緑化する計画問題解決策も大詰めです。

山脈氷河、南極、北極、氷河も100年後には海水になります。地球上の水の比率、海水97・5％、真水2・5％の比率が変わるかも知れません。

砂漠に緑を蓄える事は、真水量を増やす一環にもなります。

世界中の国が一つにまとまり地球国ができると、現在地球上に存在する国がそれぞれ自国民にとって利益ある政策の独自路線を継承している現状ではできない夢物語が、夢でなくなります。

地球国が一つですから、人種間紛争、宗教的敵対も減り、互いの利害関係も解決する糸口が見つかり、核もミサイルも戦争道具が無用になり、軍事費も無くなり、戦争による死者もゼロになり、良い事ばかりです。

本当の理想国家が誕生します。

地球国民にとって戦争の無い事は、経済的難民も無く、地球温暖化も世界が一つになれば対策が思うように運営できます。地球国民は幸せ多い生活をエンジョイできます。

ただし、あなたの子孫4代目位から、かな?

さて、地球国の創立により、砂漠の所有権が地球国に所属し、砂漠の緑化事業の推進により緑化事業が成功すれば、砂漠の周辺国で得た利益を共有して、送水維持費も地球国で徴収して費用問題も解決します。

次に、砂漠に緑化事業を継続的に行うための灌漑用導水路を縦横に張り巡らし、水路を満たす水を、河川の河口から引いてきます。今まで述べて来たとおり、経済的損失を避けるため、砂漠から最短となる上流・中流からは引きません。また、河口でも、漁業被害の補填に、企業からの環境税を当て、軍事費の一部を割いて環境被害の補填に充てます。

地球温暖化によって問題となっていることに、海面の上昇があります。北極、南極の氷が解けて海水になると、海に没してしまう国があるのです。

地球温暖化には、もう一つの課題があります。北極圏の永久凍土の解凍が原因でメタンガスの放出量が増えてくることです。メタンガスは二酸化炭素より温室効果が高いため、地球温暖化が超加速します。

北極圏の出来事は、遠くで鳴っている雷のように私達に関係ないように感じますが、人類に警鐘を鳴らしています、永久凍土を元に戻す事はできません（数十万年の歴史が要ります）。

砂漠の緑化だけでこの解決はできませんが、海面上昇を抑える役割は果たします。

永久凍土を保持することは、人類の生存に大事な要素です。

緑化事業で１９００年頃の地球環境に戻し、真水を陸上に沢山蓄える事ができれば、生物の繁栄につながります。

砂漠の大半が緑化できると、草木が水を蓄えて、干ばつが起きにくくなり、やがて、砂漠が砂漠でなくなります、砂漠がお金を生み出し、宝物に変わります。

できないと思うより、できるような方法を考えましょう。知性ある人類なら、できない事もできる事にする可能性を考えましょう。

まず、戦争をなくし、軍事費がゼロなら毎年約数百兆円位の予算が計上できて、なんでもできる予算が確保できます。

15

気候変動による氾濫被害が増えている

50年～100年に一度といわれている集中豪雨やスーパー台風が、常時地球上のどこかの国で発生し、国の河川の治水計画を超えた氾濫被害をもたらしており、それが増えているように思えます。

100～200年後の世界では、AI技術と科学者の努力で災害を最小限度に予防できる技術が生まれているでしょう。

100年後にはAIと科学者の頭脳を結集して、事前に集中豪雨の起こりそうな地域を割り出し、該当地域の河川から砂漠緑化事業用の取水量を一挙に大量に取水する事もできるようになります。

上流で取水すると下流の洪水も防げ、一挙両得です、

地球上の真水の量は僅か2・5％、海水は97・5％です。

北極、南極の永久氷が溶けだし、大事な水も海水になって

しまい、海水水面を上昇させて水没する島や、国が増加します。

陸上の真水を増やす為に、集中豪雨の、この時期に取水した水を砂漠周辺の大規模灌漑用水に貯留します。無駄に海に流れてしまう水を河川の上流で取水する事で下流域の洪水調節が可能になります。

もっとも、取水量を大量に短時間でどれだけ確保するか送水管容量にもよりますが、それを可能にする給水パイプ管径を最初から大きくしておきます。地球上の真水量を砂漠地域に貯水する事は、環境の保持にもなります。

こんな事ができるのは、国境のない地球国になればできる事で、現在の国境がある限り、国境で閉鎖されていると地球の未来の環境改善政策は実現できないでしょうね。

国境が無くなれば、砂漠に運ぶ送水ルートも複数の国の利害関係も解決できて、効率よく砂漠により近い地域の河川から取水する事も不可能です。

私達に関係のない未来世界は我々の時代に未来の為に、今、実行しなければ、地球上の人類を含め、生物の住めない地球になっているのかも？

その責任は我々にある、と思いませんか？

16

アキラめるのではなく未来に残す

１９００年頃の地球の気候に戻すのは私達の世代で。
未来にカーボン借金を残さない私達世代で解決するべきと思います。
皆さん、俺の世代は直接関係ないと思わないように。

砂漠と言ってもアラジンで出てくる砂山が続く砂漠と岩石に覆われた不毛の土地も砂漠です。岩山が強風で削られて砂となった砂漠など砂漠ができる過程で砂漠の形態特色が異なります。

砂漠を緑化する事はできないとアキラメルより、皆が地球温暖化を少しでも和らげる事が可能なら、お金を使い知力を使い砂漠の個性を診断して砂漠を減らし砂漠化を防止する対策をしましょう。

無理っ、できないっ、と言わずに、人類の未来が懸かっていると思えば人間だから何とかするのが当たり前です。

人類が過去から今も化石燃料を使い放題にして、その付けを払う時期に来ています。

永年の付けは払う金額も金利がついて使った金額よりも支払額が多くなります。

この場合も同じで砂漠の緑化事業は莫大なお金と労力を使い年月も数十年は掛かる国家的大事業になります。


世界最大のサハラ砂漠は数カ国に跨り、国同士が良好な関係を維持できない国もあり緑化事業計画が簡単に実行されるとは思われません。

もっと難儀な事は真水を何処の川から引いて来るか、です。何百キロも遠方から石油パイプの様な真水パイプで山を越え、トンネルを抜けて砂漠まで引き込み、貯水して砂漠の周りにある草木がまばらに生えているサバンナ地帯から始める事になります。

砂漠の一部が緑化されても砂漠化の増殖が抑えられても、降雨量が少ないので真水の供給は気候が好転しても砂漠に水は永遠に必要です。

一度砂漠化すると、元に戻すには何倍もの努力が必要です。

地球温暖化も同じで１９００年頃の気候に戻すには私達の世代で、未来にカーボン借金を残さないよう私達世代で解決するべきと思います。

何度も言います、皆さん、俺の世代は直接関係ないと思わないでください。

困るのは、あなたの子孫です。

子孫の顔も知らないからホットク？
あなたの優しい心を未来に生きる子孫に残しましょう。

17

砂漠化はどんどん進んでいる

国家が動き、世界中の国が動かなければ、砂漠の一部を緑化する事など夢に終わります。誰かがそうだと言ってくれれば、世界に広まります。

古代の歴史を振り返ると、サハラ砂漠も５０００年以前はナイル川の氾濫で肥沃な土地が形成され農作物が獲れる緑の大地だったそうです。古代のエジプトは農業輸出国でした。イタリアのローマにも輸出していたのです。信じられないですね。

砂漠を緑に変える、簡単な事ではありません。世界中にはアメリカを超えるほど、デッカイ砂漠と評される場所があります。

砂漠には、人と同じく個性があるようで、我々が描く砂サバクと岩石がゴロゴロでまばらに草木が生えている岩石砂漠、両方併せ持った砂漠など砂漠も色々です。

砂漠にも雨が降る時がありますが、降水量より太陽熱による蒸発量が多くて何時も乾燥しているのです。

古代は森林や草木が生い茂る地帯も、森林の伐採、焼き畑、燃料に、樹々の再生能力を超える事で段々と地肌がむき出しになり、更に、地球の気候変動が重なり砂漠化した場所もあります。

高い山に遮られて山の手前で水分が雨になり山を越える空気は乾燥して山の反対側の平地には年中雨が降らない処が砂漠化します。

要するに雨、川、湖などの水分が無いから砂漠になるのです。

それなら、遠くの川から水を引けば良いと考えるが、得てして、砂漠の近くには河川も無い。だから、砂漠は砂漠で良いと思われてきました。

むしろ、森林伐採で二酸化炭素を吸収する緑が減少して、現在も地球温暖化で砂漠化がどんどん進んでいる。
日本もカーボンゼロを目指していますが、カーボンゼロを達成しても、それまでに溜まったカーボンで温暖化が進み、人が住める国の減少、増える人類の食料危機を乗り切れない可能性が見えて来ました。
何処かで、過去から化石燃料で溜まった二酸化炭素を吸収する樹々の再生を目指す努力が人類に課せられた、宿題だと考えます。
ブラジルの森林の再生、砂漠化の抑制など、人類の英知とお金を使いできる事から今、始めなければならないと訴えます。

私一人では何もできない、国家が動き、世界中の国が動かなければ、砂漠の一部を緑化する事など夢に終わります。

小さな事ですがこの本の出版で少しでも、誰かがそうだと言っていただければ、世界に広まります。私が、あと100年生きていれば、何とか実現に向けて努力するのですが。

18 食料危機は目の前に

砂漠の面積ランキングがあります。

1位がサハラ砂漠、以下、アラビア砂漠、ゴビ砂漠、パタゴニア砂漠、グレートビクトリア砂漠、カラハリ砂漠、と続きます。

南極も世界有数の巨大砂漠です（日本百科事典）。

所在する国も色々、地球全体に想像以上に沢山存在しています。

人間は勝手な存在だと思う時があります。

砂漠から石油など地球の埋蔵資源を取り出して火力にして経済を潤してきたけど、このまま地球に断りもなく資源を人間が自由に使い放題、で地球の怒りに触れなければ良いのですが、いつの日か地球の怒りの鉄槌を受ける時が来るでしょう。

人間の経済活動で北極と南極の氷が溶けて氷の真水が海に流れ込み、膨大な量の真水が海水になり海水が海抜の低い国を呑み込み日本も海岸線が後退して砂浜も消え、砂浜のビーチパラソルの下で泳ぎ、疲れた身体を砂浜に横たえ太陽で日焼けしたあの思い出は未来には無くなります。

南極の氷が全て溶けてしまうと、東京都、大阪府のほとんどが海に呑み込まれます。

高潮が港を襲い、街が波に洗われる時が目の前に来ているように感じます。

それでも私達の生活環境は我慢できる程度だが、温暖化で海の魚が消えて、お米も北海道しか採れないなど食料危機が来て初めて、えらい事ですよ、と慌てふためいて対策を考えても遅いのです。

日本も人口の自然減を心配するより、食料の危機の心配を。食料がスーパーから消えてから慌てても遅いよ。

我々の時代で温暖化対策を進めなければ食料危機は目の前に来ています。

ばかな、たわごと、世間を驚かして、とお叱りを受けそうですが。日本国民だけでなく、世界の人達が声を上げて直ぐに、思い切った対策を今始めても良い時期になりましたと、声に出して言います。あなたもそう思うでしょう。

19

地球温暖化防止対策の究極の手段

人智を駆使した砂漠の緑化事業は、地球温暖化防止と、増加する人類の食物生産拠点となり沢山の飢える人を救います。

風力発電やソーラー発電を利用する緑化政策で雇用を増やし、不毛の土地を、真水の滞留する一大農業地帯に変え、アマゾンのように植物で二酸化炭素を吸収します。

日本は海に囲まれた漁業国ですので魚の資源について取り上げます。

朝日新聞（２０２０年12月31日朝刊掲載）に、乱獲でスケトウダラ漁獲が24分の1になった見出しがありました。

身近に感じたのは料理屋の親父さんが瀬戸内海の魚が枯渇して良い魚の仕入れがしにくいとボヤいていた事を思い出したことから今回のテーマにしました。

世界中の砂漠といわれる地帯を緑にする事は地球温暖化防止対策の究極の手段かも知れません。地球表面の温度を下げて、集中豪雨も穏やかな雨となり、太平洋に浮かぶ島も海の中に没してしまう危機も回避できます。日本でも海岸浸食が無くなります。良い事ばかりです。

やがて、砂漠が無くなり、緑化地帯には人が集まり村から街に発展して、大都会が生まれ人口増加による食料危機を回避できる食料産出地帯になりますが、砂漠の周辺で砂漠によって生活していた人達との生活支援と、砂漠で生き永らえていた昆虫や動物の消滅を理解して事業推進する優しさも必要です。

できれば、私も、200年後の世界に蘇り、昔、砂と岩石しかない時が、雲と地球が一体になる地平線まで緑の穀倉地帯が続き、強烈な太陽の紫外線を浴びて育つ緑の畑、果樹園をドローンに乗って何処までも続く生まれ変わった緑あふれる平野を見てみたい。

残念ながら、自分の目で見られないけど、後世に生きる子孫の人から良き先祖に恵まれた事を喜んでもらえれば、強い希望が湧いてきます。

第３章　地球国を創る　Ⅱ

1

平和で幸せな毎日を謳歌できる理想国家を創る

人類の夢、戦争の無い平和な毎日を約束する地球国を設立して、未来に生きる私達の子孫に平和で幸せな毎日を謳歌できる理想国家を届けたいのです。

今回もテーマは、地球上に存在する国197カ国を一つに統合して地球国を創る事です。順次、地球上の全ての問題を解決できる検証をして行きます。

近い将来、若いあなたの世代でも地球国は設立できませんが、あなたの何代目かの子孫に、あなたが目指した地球国設立へ向けてのあなたの勇気に感謝してもらえる、そんな時代がきっと来ると信じています。

現代に生きる私達が未来に生きる私達の子孫に核とミサイルに脅かされる事のない平和な世界を創りましょう。

人は「理想」と「夢」と「希望」を持って生きているように思います。

理想とは……。

辞書を検索すると、「人が心に描いた望む最高の状態」とあります。

では、希望とは……。

「実現を望む、将来への期待」でした。

人は理想と希望の結果に失望する人、もっと高い希望を目指して闘志を燃やす人、と、色々さまざまです。

私も、少年野球に夢中の時がありました。ライトを守っている時、フライ球に合わせて動く足と左手がギクシャクしてフライを受けられず、相手チームがランニングホームランで逆転負けして、何度も罵声を浴びせられ、自分の不甲斐なさに心が折れて布でできたグローブで涙を拭きました。次は見事なキャッチで皆から下手な奴から頼りになるライトと褒められたい希望を捨てきれず続けた野球も夢叶わず、年齢と共に忘れ去りました。

あの時以降も何度も何回も「夢」と「希望」を託してチャレンジした事数知れず、全て夢の夢で終わり自分の夢や希望を叶える人の努力の成果にうらやましく思う時を過ごしてきました。

この本をお読み頂いているあなたの希望、夢、目的は何ですか？

健康、美味しい食べ物、お金、社長に、綺麗になる、車、家、恋人、旅行、移住、スポーツ……趣味、いっぱいありますね。

希望や夢、理想は年齢、生活環境、家族環境、健康状況により次々と変化してきます。

子供の頃の小さな願いの一つは、誕生日にカレーを作ってもらえるか、でした。

今は、いつか訪れる人生の終末を淡々と待つ年代です。が、この年になって、デッカイ心配事ができました。人口減が進み30年後、50年後、100年後の日本の行く末が気になりだしました。

リタイヤ人生を過ごしている私達の年金生活を支えていただく現役社会人の未来を心配しています。

人生100年時代と言われるが、定年後も働き、生涯現役で過ごす時代になるかも知れない。

「現役世代」と未来に生きる子供とその子供、孫の行く末を案じます。

2

誰かが、「地球国を創ろう」と呼びかければ

197カ国を統一する地球国は、侵略戦争により、人の血を流して世界制覇を戦い、勝ち取る地球連合国ではありません。

世界中の人に、全ての欲望を犠牲にしても世界平和の方が上回る事をアピールします。私のデッカイ理想「地球国」を創ることを、地球平和革命と名付けます。

地球国が誕生すれば、地球温暖化の抑止、核とミサイルの廃絶、食料に飢える事もない、平和な世界が生まれる事を、50年、100年を掛けて世界中の民衆に訴えます。

革命と言っても侵略戦争で人の血を流しての世界制覇ではありません。

いつか、いつの日か、50年、100年を超えて呼び掛けて人類が滅びない生き方を知ってもらう事から始めます。

まず、誰かが、「地球国を創ろう」と、呼びかけ、次第に仲間を増やし、地球国を創る事が人類の誰にもメリットがある事を学んで貰い、徐々に世界の国に浸透させて行きます。

世界中の国は、人と同じく生い立ちと歴史、近隣諸国との軋轢、宗教、人種の違いなど、個性豊かな国々です。

それを突然、地球国に加盟しろと言っても、どの国も国民感情と国のリーダーの理念と違えば反対されます。

皆さんも、学校で会社で友達になりにくい人とも接しながら生きています。

突然明日から仲良く一緒に生活しなさいと言われても到底納得できない事でしょう。

個人でさえできない事を敵対国同士が明日から隣国同

士食物を分け与える事ができる訳ないとおっしゃるでしょうね。

国の生い立ちが、宗教戦争、近隣対決で過去から戦争の絶えない国同士の戦いで、家族を殺された恨みは何世代も続き、殺された方は、憎悪に満ちた心を宿し、お互いの国同士で憎しみ合い永遠に報復の繰り返しで、殺戮をやめられません。

心の傷がマグマのように溜まった人に、殺した相手を許し、一つの国家、一つの国に、など理解しがたい事です。

世界で起きる戦争の火種の因果関係を辿ると、問題山積、解決の難しさ、誰が考えても不可能に近いです。

できる訳ないと終わらせる事は簡単ですが、人間は動物と違い、想像力、思考力、知性を有しています。相手の立場を知り、心の中を読み取り、感情を抑える事もできます。相手を理解できるのも人間です。


仲の良くない国同士も敵を友とする崇高な精神を人は持ち合わせています。

息の長ーい地球平和革命ですが、今世紀中にスタートを切りたいものです。

あなたにとって何のメリットもない話ですが、あなたの子孫に喜んで貰えたら心の中が少し嬉しくなりませんか？

3

平和革命を推進するのは日本のリーダー

世界で初めて原爆の洗礼を受けた国日本だから、世界の指導者に地球国誕生のメリットを訴えることができます。

平和革命を推進する勇気ある日本のリーダーが現れる事を願っています。

地球の未来、人類の未来を心配する人はいっぱい居ます。

でも、何処かの国のリーダーは国民と平和愛好者の声を聞かずに人の命の大切さを理解できず、自己権力と利益を守る為に他国を侵略する国もあります。

他国の侵略を恐れて危険極まりない核弾頭を増やし、ミサイルの進化に一喜一憂する国もあります。

地球環境の悪化を知りながら経済優先、利益優先の国もあり、このままでは、気づいた時には世界中にミサイルが飛び交い、人類の過半数が死滅する近代戦争勃発の危機が拡大しています。

我が国は敗戦国になりましたが、驚くべき速さで戦後復興を成し遂げ、一時的には世界第2位の経済大国になりました。

世界の国の歴史を振り返ると、幾世代も争いが続く国があれば、日本は戦後78年間、戦争と無縁の平和な時代が続いています。

平和を愛する日本だから言える事、日本国が世界に先駆けて「地球上から戦争の無い世界を創ろう」、「世界平和を成し遂げる軍縮を目指そう」と声を上げる、日本国の代表者が勇気ある行動に移す時に来ています。世界から戦争を無くそう、核とミサイルも廃棄し、平和革命、「地球国を創ろう」と、世界に宣言しても良いと思います。

我が国は世界で初めて原爆の洗礼を受けた国です。だから戦争放棄を唱える事が言える国です。

戦争がなく、平和になれば、軍需産業は業態変更をして、その技術開発力を人類を利する利便性の向上、環境問題や、エネルギー問題の改善に当てられます。平和だから成長できる経済の仕組みを確立しようと思います。

日本人は礼儀正しく他人の心を重んじて、自由な発言を自己抑制でき、それが美徳と言える国です。恥ずかしさを抑えて、世界平和を世界に唱える勇気ある行動に移しましょう。ウクライナ戦争をメディアで観て戦争罪悪感を心に宿している世界中の民衆に平和運動へとつなぎませんか。世界戦争を制止できるのは世界中の民衆の力です。

日本から私達の平和を愛する声を世界中の人に届けましょう。

4

一発のミサイルで世界が滅亡するか？

地球環境の悪化で食料危機が勃発、人類の破滅を迎えるか？
地球国の設立で未来に生きる子孫に平和と繁栄を約束して世界を救うか？
二者択一を私達は課せられています。

未来に生きる人類の世界平和と繁栄と人類の消滅。本当に、戦争の無い世界が実現できるの？

人類が辿った争いの歴史を振り返ると、永遠の課題で現状の推移では実現不可に思えます。

むしろ世界戦争への道が身近に感じる昨今です。

もし、軍事大国同士の衝突で焦ったリーダーが感情に任せて一発の核弾頭ミサイルを相手国に発射すると……相手国もボタンを押した国に向けて倍以上のミサイルを発射する。

日常は冷静沈着なリーダーも、追い詰められて自己に不利な状況が続くと、核の恐ろしさを理解している筈の彼なのに、勢いに任せて地獄の門、核の発射指示を命じ最後に彼がボタンを押してしまう。ミサイル発射台から火花を散らしながらミサイルが大空に放たれると、察知した相手国もボタンを押して、ミサイルが幾筋かの煙を残してやがて相手国の上空に到達、放たれたミサイルの大半は撃ち落されるものの、迎撃ミサイルをすり抜けた核爆弾が、それぞれ相手国の空一面を覆い、後にキノコ雲が幾数条立ち上る。爆風が国全体を吹き抜けると、数時間後には軍事対立していた両国の領土、燃える物は焼却され尽くし、風の音しか聞こえない静寂の世界になる。

ミサイルの無い非核所有国も放射能から逃れられません。数時間から数週間後には放射の汚染が広がり世界中の人類の大半の命が消滅して終わる。

これが世界戦争の怖さです。

人類と動食物の大部分が死滅、子供の夢も希望も一瞬で吹っ飛んでしまいます。

当然、ミサイルが互いに飛び交っていた国同士は大国の威信も消えて消滅国家になります。

その時まで待って、世界中の運よく生き残った人達が、改めて戦争の無い世界平和を訴えれば、大体の国は地球連合国設立に賛成するでしょうが、それでは遅すぎますね。

もっと悪く考えれば、核戦争の放射能汚染が地球上に拡がり、せっかく命永らえた、人も動物も生物は死滅する可能性もあります。

幾ばくかの人類が生存していても、農作物を含む動食物全てが放射能に汚染され、海洋の生物にも汚染は拡がり、食料の自給自足ができず、結局、人類のおごり、独裁国家と狂信的な指導者の専横を停められなかった民衆の力不足が原因で人類の消滅が来ます。

あるいは、核戦争以外、例えば地球温暖化が進行して食料生産の自給率が落ち、食料を国民に配給する事ができなくなると、必然的に食料の奪い合いが始まり、人類の最終局面が予測されだします。人々が慌てて温暖化を何とか阻止しようと思う頃には全てが遅すぎて、回復不可能の時が来るまで、自国の権利を主張しているでしょう。

人類が人類だけでなく、人類の手助けをしている人類以外の動植物を根絶やし消滅させる一握りの権力者の奢り、解りながらも止める事をしない民衆の責任、人類の罪深さを知って欲しい。今のままでは、人類にとって、何とも悲しい結末しか思い浮かばない。

人類が人類だけでなく、人類と共生する動食物を根絶やしにする、最後の日を迎えない為に、地球平和革命で地球国を創立し、地球国主導で世界の平和と安定を見据えた政治活動をする事が絶対、必要かも知れませんね。

5

今、日本から世界軍縮の声を上げる勇気を

人類の未来が素晴らしい時代を迎える最良の方法があります。ミサイルと核を破棄して世界平和宣言を日本から発信する、日本を代表する政治家の勇気を試す時です。

世界の国を一つにまとめ、「地球国を創る」が世界平和につながる事は誰もが思い、多くの方が何等かの方法で訴えておられます。

誰もが心の中で思っている事ですが、誰も実現不可能と勝手に思い込んでいる。

地球国が誕生すれば約200カ国の国民が一つの国民になり地球人類、皆兄弟の思想になります。

全ての人間は同じ国の同じ民族、人種差別も、国同士の歴史的諍いも無くなります。

教育格差も無くなり、世界皆同じ教育を実施できます。

地球資源も、食料も、地球国民で等しく分け合います。

国同士の貧富の格差も、経済格差もなくなり、飢える国

民もありません。

戦争の基を断ち切る事をする、不満国家を無くし武装を解くと、国境も無くなり、何処の都市にでも移住できます。

地球温暖化防止対策も、一心同体だから政治的解決が容易にできる。

地球国は人類にとって最良の選択です、一つの国になって困る事は無いでしょう。

一つにまとまると困るのは、自分だけの政権を描き、自分の利益を貴ぶ人だけです。

特別な思考を持った人が権力を保持すると、自分を見失い、国民の幸せを犠牲にして、国民に不幸な生活を強いる事になります。

何処かの国が自信を無くして、ミサイルのボタンを押して、世界の人の大半が死に至った時か、食料の全てが放射能汚染で枯渇した時か、地球最後の瞬間が近づいてきてから慌てて、世界の国を一つにして世界平和宣言ができる事が可能になるだろうけど、地球上の生物が放射能まみれになってからでは遅すぎます。

今、日本から世界軍縮の声を上げる勇気を出しましょう。

２０２３年5月20日、広島市で開催された主要7カ国首脳会議議論成果発表で「法の支配に基づく自由で開かれた国際秩序を堅持する」、同時に「核兵器のない世界を実現」と表明しました。歴代首相の中で思い切った言葉でした。

しかし、アメリカ大統領は平和記念公園に核兵器の発射ボタンの「核のフットボール」を持参しています。大統領は常に危機に対処しなければならない、世界は瞬時の油断もない、常時危機にさらされている、一触即発状態を感じました。不安の中の少しだけ安らぎの世界です。

私達が声を上げ、マスコミ関係者と平和愛好者と協調して政治家を動かし、日本国民の声として世界平和を唱える勇気が世界を救います。

6

日本の政治を変えるところから

民主主義国家は選挙で政治家を選びます。

政治家は選ばれると次の選挙で再選される事にこだわり、選挙で勝利しなければ政治家の地位を所持しなければ何もできない事を知っています。


選挙で勝利しなければ政治家の地位を所持しなければ何もできない、これが日本の100年先の未来を予測した政策ができない原因です。

現在の世界の国の国家元首を見渡すと自国の利益を優先した政治を主導しています。

独裁政治国以外の国では、間接、直接的に国民選挙で選ばれた元首が政治を行う時に、国民の声を聞き、それを施政に反映させるポピュリズムが正当な政治活動として行われています。

民主主義の弊害か、自らの選挙区での人気が選挙結果を左右するからです。

政治家は次の選挙を有利にする為に国民が求めるバラマキ政策を行うが、その姿勢が国を蝕んでいます。

民主主義国家では選挙で政治家を選びます。多数決論で国民の喜ぶ政策にシフトするのは致し方ないですが、国民の受けを狙った政策は納税以上の原資不足が生じて、国の借金、赤字国債の負担が増加します。

国民が喜ぶのは、国民が恩恵を受ける代表的な減税、補助金、それらを乱発すれば恩恵を受ける人から政策を支持されて、次の選挙に有利に働きます。

反対に、国民が不利益を被る増税や消費税の増額は国民の低所得者からも富裕層からも反発を受けます。

政治家が理想に燃えて立候補して政治家のポストを得ても、国家100年の大計を立て未来の日本国家に投資する増税を唱えると、大概の人は、未来に役立つことを理解しても未来は別の人の恩恵、その為に自己不利益になる事は拒否されます。

次の選挙で勝利しなければ政治家として国民の為になる仕事ができません。

そこが民主主義と政治家の弱いところ、選挙に勝つために国民を喜ばす政策が一番です。

国民が望む政策は国の借金が増加する事が解っているのに国民は負担せず自己利益になる事を政治家に訴えます。

だから、国民に寄り添いすぎる政治は国を弱くする。

民主主義を否定するものではありません。

未来を展望できない政治家が、未来の日本国を想像できないから、今さえ良ければの政治をしているようでは日本の未来に希望が持てない、悲しいです。

１００年先の大計を描き、未来を想像して日本の未来を国民に語れる政治家の台頭を望んでいます。

日本の未来を予測して、今、始めなければならない政策を国民に語り、国民が理解し納得する政策を発表する勇気ある政治家を私達が育てなければなりません。

若いあなた、政治家を希望する人が少数になっている今、あなたが政治家を目指し立候補してください。日本の政治を変えましょう。

徳川幕府から新しい政治をもたらした、西郷隆盛、桂小五郎、坂本龍馬を思い出してください。国の未来を築く国家大計を実現してください。

世界の平和を唱える勇気ある行動を示してください。

日本国民は教育水準も高く、知性があり心豊かな国民です。

一次的に国民の不利益になっても、次の世代に豊かな日本になれる事を信じて我慢して耐えてくれるものと信じています。

たとえ、国の借金が増えても、国民一人一人は国の借金に関心はありません。国の借金は国が勝手に増やしている事で、自分が返済しないから自分に関係ないと思い、世界の中で日本の国力が落ちていることに興味が無いから、赤字国債発行は当たり前なのでしょうか?

あまり複雑な言葉を並べるよりも、解りやすく、国民に美味しい言葉を並べる政治に良い事はありません。

ズバリ、日本国の未来予測を現実的に国民に伝える政治家が少ないように感じますね。

なぜなら、日本国の国家予算は毎年、前年度を基準にプラスアルファーで永年過ごして来たからです。

政治家は100年の大計を国民に示して、長期展望を国民に示す政治家が理想です。

国家展望、100年の大計を唱える政治家も有能な官僚はいても、声を出しません。

日本国の政治は、未来に向けての国家的発展方法を望んでいないように感じます。

人口減少は国の力を削ぎます。

八方ふさがりの日本、残念な国になってしまいました。

けれども、嘆いていても仕方がないので、どうすれば景気が良くなり、給料も増えて豊かな老後を過ごせるのか、皆で考えましょう。

世界の国の中で、人口増加国は発展しています。

現在より少し遡ると、戦後復興を果たしたあの時、人口が爆発的に増えて景気が上向き、日本が輝いていたあの時代に戻せば良いのです。

7

地球国を創るために始めること

地球国が誕生すれば人類にとって全てがうまく行く、その事は解っていても、誰がどのような方法で世界の国を統一するの？

それが解っていれば何とかなるけど。

この本を書きながら、どうすれば良いのか、思案模索しています。

私一人が世界の国を一つにして、「地球国」を創ろうと声を上げても世間から評価されない。

何故なら、絶対に「地球国」が成立する事が不可能な事は誰しも解っているからです。

会社の中でもありますよね、良い事は解っているけど言えない、勇気を出して声を上げても雰囲気的に上司や経営陣に納得してもらえそうにない。

だから、言っても無駄、無視されるか、変わった奴で終わりそうだから。

結局、自分にとって大した事じゃ無い、問題提起するエネルギーが大変だからほとんどの人が、なすが儘で人生を過ごしています。

「地球国」を創る？

私が、地球上で誰も支持してくれない事に一生懸命になってブログを更新しているのは、近未来のある日、人類の破滅が近づき、地球上の国のリーダーが地球国を創らなければ解決できないと気付いた時、地球国設立に向けて討議される時代が来ると思うからです。

多分、その時は遅きに失した時で、人類の消滅時期になっているでしょう。

その時とは……。

地球温暖化が進み、全人類の食料自給率の悪化で、国家的に自給できない国の国民は飢えて一部の人しか生き残れない時。

侵略戦争、宗教紛争、歴史的紛争国など些細な紛争から大国が介入して大国同士のメンツを賭けた戦争にエスカレートして世界戦争になり、ミサイルが飛び交い、核のボタンが押された時。

生き残った人達が自分たちの命を守る為に最後の手段、地球国を設立して世界平和を手に入れる。

それでは遅すぎると非難しても……。

人類の歴史を振り返っても、日本では弥生時代から更に古く縄文時代から小競り合いで人が亡くなっているそうです。

縄文時代？

人がまばらに家族単位で住み分けていた時代から共同体に移行して村となり、村同士で食料の取り合いで喧嘩から戦に発展して、そして日本中で群雄割拠の戦国時代になり、さらに科学が進化して近代化された現代でも戦争は続いています。

知性豊かで理性的な人類が、動物に劣る、戦争回避ができないという、八方ふさがりの世界になったのでしょうか、そんな事は無いと信じます。

私達、一人一人が世界から戦争をなくす世界平和革命を唱える勇気を出しましょう。

8 人類の歴史と戦争

戦争の歴史を日本史、世界史から読み解くと、古代から近代まで戦争の途切れた時代は無いように思えます。

人類の歴史は、30万年前にユーラシア大陸にネアンデルタール人・旧人・原人が生存していたときからと言われています。

5万年前にホモ・サピエンス（賢い人と言われる）がアフリカ大陸から世界へ旅立つと、他の人種は全て絶滅してしまったようです。

ホモ・サピエンスが先輩人類を殺戮したのか、食料などの資源をホモ・サピエンスが（賢い人と呼ばれているから）動植物の資源を弓矢などの道具を使って取りつくしてしまい、他民族が生き残れず、私達の先祖はネアンデルタール人でもなくホモ・サピエンス一系統になってしまったらしい（随分と身勝手な人類に思えるけど）。そのDNAを私達が先祖から引き継ぎ今に至るのでしょうか。

私達、皆さんの周りの友人は皆、良い人ですよね。 

自分の欲望の為に人の命を奪う人なんていないでしょう。

ところが国を代表する権力を取得すると、権力と自己主観を永遠にするために、思い通りに動かせない人の命を平気で奪う事になる、人間は身勝手です。動物でも時として生存競争で相手を傷つけ命を奪うけど、対抗勢力全ての命を奪う事は絶対にあり得ません。

大量殺戮の為の道具、銃、大砲、戦車、飛行機、軍艦、ミサイル、核弾頭、段々エスカレートして地球人類を何回も殺戮できる原子爆弾を所有している国がある。何時でも核爆弾を所有できる国でも、日本のように核爆弾大量殺戮兵器を放棄している国もある。

私は、１９４５年敗戦国になってから78年間戦争を回避してきた日本の政治努力は立派、この国の素晴らしさを実感しています（もっとも、アメリカの核の傘に守られていたから？）。

島国と言われ、地続きの隣国が無い恵まれた国に生まれて良かったと今にして思います。

若者が一定程度の年齢になれば軍事教練のある国より、自衛隊の防衛力に頼り、平和に暮らせる日本、言論の自由が許される日本を誇りに思います。

世界中の国の中では、独裁国など言論抑制で自由な発言ができない国、国民皆兵制度の国、近隣国と常に緊張状態にあり国民が常時戦時体制の国、テロや国民同士の殺し合いが続く国に比べて、日本は平和を堪能してきました。

特に言論の自由が許される日本は素晴らしく、日本の政治と国民の努力を誇りに思います。

政府や政治を非難しても許される国は世界中で限られているから。

9

戦後78年間、平和で過ごした日本は幸せ？

地球上の指導者に伝えたい。日本の自由と平和を学びませんか？

生まれた時から内戦が続きそれが当たり前の国、近隣国と歴史的に争いが続く国、宗教の違いで対立する国、専横国家で国民が自由と平和を知らずに一生を終える人もいます。

人が生きて来た人生の過去は、良い思い出、悪い思い出があります。自分の夢を叶えた人。夢を逃した人、経済的に恵まれた人、努力しても経済的に恵まれない人、とさまざまです。

それぞれの生きてきた形跡、過去があります。

100人の人は全て違う人生の過去を経由して「今」が存在しています。

人は未来に希望を持って明日への夢を託してけなげに生きています。

明日への目的や希望があるからせっせと働き、家族と交わり、一緒に幸せな未来を信じて生きています。

もし、未来に希望も夢も持てないなら、それは人間にとって最大の不幸ですね。地球に存在する世界中の国の生い立ちも過去が有って、今があります。

それが戦争によって自由のない生活不安な国に生まれ、それが当たり前の世界であり、平和と自由を知らない人達もいます。

なんと不運な人達かと思います。

他国の権力者の欲望で占領されたらこれも不幸ですね。

他国の侵略戦争で自国の自由と権利を取り戻す為に戦い、多くの国民の血を流した犠牲の上に平和と自由がもたらせるのです。これも不運な出来事ですね。世界中で戦争の無い平和な世界を過去から知らずに過ごしている国民が地球上の大多数を占める事実に驚きます。

何とか、今世紀中に地球儀上に名前が記載されている国の全てから戦争という人類の驕りの悲劇をなくす運動を続けます。

私達の子孫の幸せを私達が設計しなければならないのです。

私達が人類史上できなかった平和な世界を築きたい。

私達の皆が声を上げて、国のリーダーの思考を変える努力責任があります。

私達にできなければ、未来永劫、人類の破滅迄、戦争回避による平和な世界は遠のいてしまうように思うのですが？

10

デメリットが無い「地球国」

地球国ができると何がどう変わる？
日本は日本州か日本国そのままになり、地球国の一自治体になります。

食料も資源も温暖化防止、戦争武器、経済の国力差も地球連合国で一括管理する。

目的が達成されたら、デメリットが無いのに驚きます。

まず、過去の国の名称が変わります。

国は合衆国のような自治政府となり、日本国は日本州などの読み方に代わる。

国同士が一つの国になるので、国境がなくなり、何処の国にでも自由に旅行ができ、好きな場所に移住できる。

物流も国境が無いので貿易とは言わない。必要な物資を必要とする場所に自由に行き来させられる。

飛行機で旅行する時も保安検査だけでビザは不要、関税はありません。

化石燃料と地下資源と食料資源などの必要物資は地球国で一括管理して必要な都市や地方に工場に直接送る事ができる。

人類の食料の増産計画、生産調整、人類の食料危機回避計画がやり易い。

地球温暖化の抑制も、地球国が地球規模で各州に指令し、調整できる。

温暖化対策では地球規模で砂漠の緑化事業の推進が可能になる。

自然エネルギーの調達、設置も必要な場所に必要な数だけ推進でき一括管理ができる。

漁業資源、動植物の存続監視体制がやり易く、地球全体のバランスがとれる。

もっとも優れた政策は、軍事費コストをゼロにできることです。

世界中の国が統合されると一つの国になるので、国同士の争いが無くなり、世界中から戦争は過去の歴史の中にしか存在しなくなります。

世界平和が実現すると軍事費が不要になる、軍事費を平和利用に転換することができる。

人類の生存に必要な諸費用に当てて、人の生活の安定と未来に人類に資する事業費に充てられる。

世界中から核爆弾とミサイルと戦争道具、殺戮武器を地球上から滅失する事ができる。

戦争で亡くなる人も傷つく人もなくなり、悲しむ家族がなくなる。最高の時代が来る。

地球規模で、人類の生存に必要な生活のサポートをする科学的ロボットなど、未来志向の科学的研究機関を設けて、人類発展と未来永劫安定した生活ができる環境を造る。

政治政策も地球規模で行うので何処の州にも公平で時には州の立地、環境、人口率、食料調達率などを加味して州毎に損得のない政策が可能となる。


他にもメリットはあると思いますが、上記に述べた政策が可能であれば、「地球国」を創らなければならないと、思いませんか?

何事も、できないと思うからできないので、人類誕生から争いの絶えない世界を何処かのタイミングで平和な世界に変える事が人類永遠の課題です。

希望や夢を実現可能に変えられるのも人間だけです。人間だから「地球国」が設立できると信じます。

11

戦争が無い国

毎日ミサイルが着弾して常に死と隣り合う
自由と平和を知らないで毎日を過ごしている国民が地球上に沢山います。

我が日本国の自由と平和な毎日を世界の人に拡げようではありませんか、日本国の勇気あるリーダーが永遠の人類繁栄の基礎を造り、世界の歴史を変えます。

過去を振り返ると人類が人間として生活を始めた時から地球上に戦争のない平和な時代は皆無では?現在も、地域戦争は行われています。

幸い日本では昭和20年から令和６年の現在まで78年余り戦争犠牲者はありません。国民の幸せ度世界ランキングでは２０２３年度47位ですが。でも、戦争がない国ならもう少しランキングが上位になりませんか。

私達は日本で生まれ日本で過ごした戦後78年余り、戦争に直接関わった事がない、この国で過ごした事を幸せで、感謝してもよいと思います。

世界中の国を見回すと、生まれた時から戦争が継続され、成人し、死ぬまで戦争が継続している国もあります。

生まれた時から、内戦が続き隣国と武力紛争に明け暮れる国に生まれた人と比べると日本の平和を有難く思います。

紛争地域では子供や孫が招集され戦争に駆り出され、平和な日常生活の場に、街にロケット弾が着弾し、轟音の中で民間人に犠牲者が出る。絶え間ない攻撃に、次は自分が犠牲者になると恐れる日々を過ごしています。

精神的苦痛に悩ませられながら、生活物資も限られた中で育った子供の未来に夢があるのだろうか。日本の今後も戦争のない、戦争犠牲者のない日本を守って行きたいですね。

地球上から武力紛争、世界大戦などをなくす努力を、世界の指導者がしなければ幾世代にも戦争を継続されてしまいます。

アメリカ、中国、ロシア、EU、アジア諸国代表者が国民の幸せと、生活の豊かさを守る。貿易戦争も、摩擦も、意地の張り合いも、民衆受けをやめて、真剣に討議する時代になっていませんか？

１００年後に偉大な指導者が居たと歴史に残る人が現れますように、願っています。

人類史上１００年後には地球上から戦争が途絶えるよう、勇気を出して日本から世界に「地球国を創ろう」と呼びかける平和的革命の行動を起こしましょう。

第４章　漁業資源を守る

1

漁業資源を守るために

地球上で絶滅した動物は無数にあります。
昨今大衆魚の漁獲量が激減している魚資源の問題を取り上げます。

穀物、食肉に次ぐ大事な人の命を支えている魚食。漁業は今、漁獲量の激減という問題を抱えています。地球国を誕生させれば、資金問題も国境問題も国情も解決され、世界中の海洋資源が劇的に改善されます。

世界中の漁業国が自然界のおきてを破り、魚の生まれる数よりも成魚を取り放題に乱獲したために、急激に天然資源の魚種が消滅に向かって枯渇寸前となりつつあります。

漁業国が協力して漁獲量を制限しながら漁業資源の回復を目指すよう、訴えるつもりです。

漁業資源の枯渇防止策を怠ると、自然は容赦なく急激に漁業資源を根こそぎ根絶しようとします。鮭が、秋刀魚が、カニが、毎年減少している。獲れなくなったことを私達はマスコミで知り、スーパーでは大衆魚が高級魚並みに値段高騰しています。

日本国の漁業資源を守る政治問題を考えてみたいと思います。

政治には触れないつもりでしたが、ほっとけません。50年後も魚料理が食卓のメインになれるよう、私達が子や孫の為に、漁業資源保護の政策をやるべき時期に今、来ていると思いませんか？

地球の周りにあるオゾン層の下、地球の適正な温度を守っているドーム状の層（成層圏）は水蒸気が一番多いそうです。この水蒸気や二酸化酸素が多くなると、太陽からの熱気を放散できず地球が熱くなります。これが地球温暖化です。これが進むと、北極と南極、アルプスの氷河の氷が解けます。そして、海水面が2100年には1メートル上昇し、日本の砂浜は極端に減少するそうです。

えっ、80年後は砂浜で背中を焼くことも、ビーチパラソルを立てることもできないの？　海水浴は防波堤から飛び込むのが一般的になるかも？

もっと大事なことは、海抜0メートルにある島国は海面に没してしまう事になるということです。日本でも集中豪雨災害が増える傾向にあり、毎年規模が最大化していくような気がします。また、スーパー台風に悩まされ、コメをはじめ農作物の生育に影響される事が懸念されています。

現在は、スーパーマーケットにはなんでもありますが、あなたの子供の孫の世代には食料自給のバランスが崩れ、その棚に陳列される食料品の種類が激減するでしょう。

現在のCOP21の政策では、地球温暖化の勢いを止める事については参加国の中でも意見が対立、各国の事情と、先進国以外の後進国と言われる国の政策が一致しなければ、温暖化防止、ゼロカーボン政策は今世紀後半になるようです。その間に温暖化は勢いを増し、想像以上に悪化するでしょう。

早ければ10年、20年後には、海水温度の上昇で高級魚から絶滅して、寿司も食べられない事になっている？

１００年後に世界を統一して、地球国を創ってからでは遅いので直ぐに始め、漁業資源の回復事業を日本から漁業国にアピールして漁業国一丸で禁漁も制限も養殖技術の向上も急がなければなりません。

2 田舎の河川の楽しみ

戦後、田舎の河川で色々と小魚を獲る楽しみを満喫した時代がありました。

清流には、鮎の魚群が泳ぎウグイにアマゴも混じり、簡易な釣り道具で子供でも釣果に恵まれ、現代の子供の遊びと違う四季折々の楽しみを与えてくれましたが、その川から今は魚群が消えました。

私は、太平洋戦争中に田舎に疎開してそのまま戦後も田舎で過ごしていました。

戦後の都会生活と違い農村地帯の生活では、豊かな生活は望めませんが、貧しいながらも、食べ物だけは不自由しないので、街に戻るよりも子供達の事を考慮して田舎暮らしが長くなりました。

お陰様で、当時は学校が終わると放課後は遊びの世界に没頭することができました。

今日は何をする、明日はなんで遊ぶ、振り返れば人生で一番幸せな少年時代を過ごせたと思います。


子供の頃の遊びも春夏秋冬、自然界が織りなす自然と関わりながら季節に応じた遊びを年間行事のようにしていました。

農村地帯の大人達は春の田植えから秋の取り入れ迄コメ作りに励み、米を作りながら野菜を育てて出荷、村の神社も春と秋の収穫時期に祭礼行事を毎年同じように行い、しきたりを守り年中何かと仕事に追われるのと同じく、田舎の子供達は自然を受け入れながら、四季に応じた遊びに夢中でした。

春休み、田舎の子供達は子供労働者となります。小学生になれば、子守り、荷車の後押し、農機具を運ぶ、農業を大人と同じように手伝う、農業とは一家総出で行う職業と言えました。

私の家は、父親が街で働き生活費を稼ぐので村の居候です。農作業もありません。

放課後は遊び放題の毎日です。退屈という言葉は無かったと思います。

学業に興味なく暮らしていました。

田舎での一番の楽しみは、春が過ぎて梅雨頃になると清流に住む鮎との出会いです。

毎年川の流れに逆らうように小鮎が魚群になって泳ぎだすと、心が踊るがごとく、小さな町に一軒だけある釣具屋さんへ飛び込みます。そこは小間物を扱う商店ですが、この時期だけ鮎釣り用の毛ばりが豊富にそろっています。

毛ばりは小鮎が成長するに従い、食する小虫（小鮎は藻を食べずに昆虫類を食べています）が違うので、その種類に合わせて毛ばりの色が違い、鮎が食いつきやすいように沢山の種類が並べてあります。

その季節を敏感に感じて毛ばりを吟味し選ぶことが釣果に影響します。これも毎年の経験則から自分で判断します。


毛ばりと浮きと糸を購入すると飛ぶように勢いよく走り河の横にある竹藪に駆け込みます。釣り竿になりそうな細竹を肥後守で切り出し葉っぱを取って、竿のしなり具合をテストすると釣り竿は出来上がりです。毎日新しい釣竿をタダで新調していました。


釣り糸に手製の浮きを付けて単純な仕掛けで投げ釣りで毛ばりに食いついた鮎をどんどん釣ります。

毎年毎日釣りに没頭するとコツが解り、入れ食い状態でした。

川面には小鮎が群れをなして泳ぎ、小さな子供でも竿を振る度に竿を持つ手にぐっぐっと鮎が針に食いついた手ごたえは今も残っています。

釣った鮎は竹籠に入れて清流に浸けて鮎を生かしておきます。

夕暮れになると腹が空き、家が恋しく、竹籠を上げると中で鮎がピチピチと躍っています。

釣果を確かめる為に駕籠を覗くと鮎の青臭さが今も残っています。

夕食は鮎のはらわたを除き、コンロの上で網に乗せ、焼けた鮎を酢橘（すだち）に浸けて食べました。

美味かった。


釣竿を持っていない幼少の子供は、小石を広い鮎の群れに投げ、衝撃で浮かび上がる鮎を手で拾い集めて、楽しい時間を過ごした事が思い出されます。

あれから数十年が過ぎた最近、思い出の河に行きました。小鮎の漁業シーズンには鮎釣りの人が竿の長さの間隔を開けて林立していた竿が見当たりません。

人のいない河には昔と同じように澄み切った流れが小石を避ける、さらさらと音を響かせ水の流れは当時と変わりません。

少し青みが掛かった深みにもウグイの群れは見当たらず、小魚の姿が消えてしまった。

地元の人は解っていても無関心、諦めなのか、昔の自然を復活できる努力は考えないのでしょうか？

昭和20年頃と比べ、日本国中の河川から川魚の濃い魚影が消えてしまいました。

3

大衆魚が食べられなくなる

何時頃から松葉蟹、タコ、イカ、ウニ、イセエビ、アワビが私達から遠い魚になった

漁獲制限を数年間実施して漁業資源回復まで我慢できますか？

高級魚以外の庶民の台所を潤していた秋刀魚、サバ、鮭も漁獲量の減少とかで季節を告げていた庶民の味を忘れている昨今です。

魚の宝庫と言われていた瀬戸内海に面して安くて美味しい刺身や寿司ネタは何処に消えた。

子供の頃、疎開した場所が滋賀県の琵琶湖の近くで、たんぱく源が川魚中心の食生活でした。滋賀県は海に面していない内陸だから海で獲れる新鮮な魚、真鯛をはじめイワシ、サバ、生イカ、タコなどは当時

の冷凍技術が未熟で氷式冷蔵庫では新鮮な海の魚は賞味できませんでした。

身欠きにしん、塩サケ、イワシの干したもの、スルメなどで鯛やカレイ、ヒラメの刺身など都会に来て初めて知ったくらいでした。

瀬戸内海に面した神戸市に暮らして、イカナゴ、鯛、ハマチ、アジ、太刀魚、カワハギ、ウニ、イカ、タコなど新鮮な魚類が豊富で刺身、寿司ネタは最高でしたと、過去形になります。

行きつけの料理屋の料理人が最近ネタの仕入れに苦労していますと、ぼやいています。 

聞けば、地元の漁師さんが沖に出ても漁獲量が減って良い料理魚種が獲れない日が続き、大阪湾から魚が消えたそうです。有っても、冷凍技術の進化で飛行機空輸が発達して良い魚類は高額で取引される東京方面に空輸されるそうで、地元消費地には良い魚類が手に入らないらしい？

そのため、市場に良いネタが出ず、良い魚が揚がっても地元では相場が安いので大阪や、東京に出荷されて、地元には出回らない。

結局、良い魚種は乱獲によるものか、美味い魚を求める美食家の貨幣価値を気にせず食される人の増加によるものか、地球温暖化で潮目が変わり消えた小魚をエサとしていたからか、何処かに消えてしまったようです。

一生懸命に働いて、相当な年齢になり、やっと落ち着いて食を見直し美味しい物を求めても、漁業資源が枯渇して、昔の事は夢の夢。食の世界も大変な時代になっていました。

過去では当たり前に食していた秋刀魚も、サバも高級魚になってしまい、日本海の松葉蟹も今年は一杯2万円超えでは口にする事はできません。

なんで、そうなった?

漁業資源減少は世界的な現象。獲れる魚は根こそぎ獲る、資源回復をするには漁業協定は甘すぎです。豊富な漁業資源を回復させるには、私達、消費者が数年間激減した魚を食べる事を我慢する事が一番の方法です。蟹は高価なので、カニカマで我慢できるけど、大衆魚のサバ、秋刀魚、鮭、イカ、タコは日常的に食べられなくなるのは寂しいですね。

高価なマグロ、ハマチ、サーモン、鯛、フグなどは養殖しても採算が合うけど、大衆魚の秋刀魚、サバ、イカ、タコなど養殖技術を高め全ての魚種を育て販売するには採算が合わないか?

やっぱり、大衆魚は資源回復するまで、数年間は諦めて我慢して過ごすのが一番良い政策になりそうです。

4

日本が漁業資源回復シナリオを作る

地球上の漁業資源の画期的で、思い切った復活方法を世界中の漁業国を対象に考える時期に来ているようです。

特定の魚の減少を解りながら漁業を続けていると、ある年を境に親魚種が激減してしまい、翌年から新魚が生まれ無くなり幻の魚種になってしまう。そうなると、もう取り返しがつきません。

今、漁獲量がこれ以上落ちない間に、思い切って世界中の漁獲資源国が魚種を限定して禁漁しなければ、近い将来台所から魚料理が消えてしまいそうです。

そこで、日本が漁業国として世界に認められるチャンスがあります。世界中で海の資源を利用している国を相手に、日本が声を上げて過去の漁獲量データと未来予測の漁獲量推測を持ち寄り、世界共通の資源管理組織を作ります。

世界中で漁業資源回復シナリオを描くのです。当然どの国も、資源減少を理解しながらも自国の不利益を嫌うので、ほとんどの国が反対するでしょう。国を統括するリーダーは、票を失う事を恐れ、簡単に禁漁を唱える事はできません。自国の漁業で生計を立てている漁業者の不満を抑える事の難しさは理解できます。

漁業国の漁師さんの生活は先祖から綿々と続いた親代々の仕事でした。生計の根本を脅かす事になる漁獲制限には絶対反対です。だけど今のままで良いとは誰も思っていません。漁期が始まると我勝ちに、早い者勝ち、多く獲ったものが勝ちの現状では、漁獲競争で乱獲に歯止めが効かず、漁獲資源が毎年前年度を下回り、漁師の生活権を自ら失う事は誰も知っているはずです。でも、漁獲制限には反対でしょうね。

四面を海に囲まれた漁業国日本、将来は魚を輸入に頼る事になると思うと漁業資源を守る組織を日本国が音頭を取って、世界の国に呼び掛け強力な組織を作るリーダーになる事から始めましょう。

日本の総理大臣、世界に名前を轟かすチャンスです。困難な交渉が続き、お互いが理解し合うまで息の長い期間を要しますが、できない事は無いと思います。困難だからと諦めないで世界中の人の食料危機を逃れる最大方策を日本が切り開くのです。

日本がリーダーとなり、世界中の国民に訴えるのです。世論を動かす事ができる魅力ある政治家よ、出でよ。

この本をお読みいただく読者の皆様、あなたのお子様が「青雲の志を持って」政治家を目指し、１００年先の世界の未来を展望した政治を展開されますよう、願っています。

5

漁業の「放流再生産方式」

漁師で生活する方は、地球上の自然の仕組みを利用して、天然漁業を増やすことのできる、卵から幼魚を生育して放流する、再生産方式を拡大しましょう。

魚を獲りつくす漁業方法から、農業生産のように育てて刈り取る仕組みを真似た、卵から幼魚を生育して放流するのが、再生産方式です。

農業従事者は、今年獲れた生産品から来年植え付ける種を残して土地を耕し、畑に肥料を撒き種を蒔いて、次年度のコメや野菜の生産量を計画することで、持続的な食料生産ができています。

マグロなどの特別に定めた魚種は、国同士で漁獲量を制限しているようですが、魚種によっては自然資源だから獲ったもの勝ち、農業のように再生計画は無いように思えます。

近大マグロや鯛のように養殖事業も有れば、鮭の遡上の為に卵から幼魚を育て放流して故郷の河に回帰させる方法もありますが、一般の魚種は自然相手になっています。

農林水産省のデータによると日本の漁船、1隻の漁獲量はノルウェーの20分の1で、漁業者一人当たりの生産量も8分の1だそうで、効率が悪すぎます。

これでは漁業者の収入は増えず、船を新調する事もできない程、疲弊しているようです。漁業後継者も所得が低ければ、親の家業を目指すより、働きに出た方が楽に稼げると思います。

永年放置してきた漁業権の既得権利制度に、70年ぶりに新しい未来に向けた法整備に漕ぎ出した安倍元総理に拍手を送りたい。

過去の既得権、漁業協同組合の漁業権制度を見直し、大胆な改革で農業のように再生漁業を目指して欲しい、昔のように豊漁となる瀬戸内海を、日本を囲む海の魚資源回復を目指してから、日本が世界の漁業国に呼び掛けて、世界規模で漁業資源を復活させましょう。そして、その後、漁獲量の制限をして、毎年の一定漁の魚を獲っても資源が枯渇しないように計画的な漁獲量の制限が必要です。

このままでは20年後には回転寿司屋さんも、街の寿司屋さんも新鮮な魚が無くなり、私達の食卓から魚が消える、毎日カレー、ハンバーグ、パスタなどの限られた食材にならないよう、魚種の厳しい漁業制限の時期を早めましょう。

6

一致団結して魚種の保護活動を

近年は特に魚資源が坂を転がり下るような勢いで減少期に向かっているように感じます。

昔の話です。イワシの群れが岸壁に向かって渦を巻いて盛り上がりながら来たところを、蝉取り網で掬い取ると数回で晩のおかずが出来上がる程簡単に獲れたそうです。

信じられますか?

20年程前の話です。会社に勤めていた頃、ゴルフ倶楽部、サッカー部、野球部、スキー部と釣りクラブがありました。毎年日本海、和歌山と釣り名所に泊まりがけで、30人ほどの大部隊で釣り旅行をしていました。

兵庫県の淡路島でのお話です。男女の混成なので、危険な釣り場所は避けて釣果よりも安全な場所を選び、大概はトイレの心配のない、船着き場の横で、ベテランはベテランの仕掛けで大物を狙い、初心者や女性は生きたゴカイを嫌い、アミサビキ仕掛けで釣果を競い、景品も豪華賞品が用意されていて、宿泊も一般ホテルや温泉旅館で宴会をし美食倶楽部ともいわれていました。

秋晴れの下、竿の仕掛けができた人からアミエビを入れた駕籠を落とすと、イワシがサビキにつけた針全部に鈴なりに食いつき、キャアキャア、ワイワイ忙しく、時々、引きの良いアジが掛かり、坊主ゼロの素人釣大会でした。

その時、淡路出身の女性社員さんが、言いました。「自分が子供の時はイワシは釣りませんでした。回遊してくると家から蝉などを獲る網を持ち出して、岸壁から網で掬うと一杯になりそれだけで夕食のおかずが余るほど獲れました」

信じられない話で、驚きますね、イワシは網で掬えるほど資源が豊富だったようです。

たった30～40年前の時代です。虫捕獲用のアミで獲れた時代はそんなに昔ではないですよ。もっと前に小魚の保護活動をしていれば瀬戸内海は魚の宝庫になっていたでしょう。

イワシが豊富ですと、イワシを捕食して育つ大型の魚が増えて、漁師さんが潤う、じゃあ、イカナゴやイワシの漁獲量を数年間制限しては？

此処で、魚を獲る漁業者と、農業者の違いを考えてみました。ただの、オジサンが考える事は専門性に欠ける事があるかも知れませんが、毎年消費指数を考慮して食料再生産をする農業と、自然の魚資源をあるがままに獲り続ける漁業者とは、随分立場が違う事を改めて考えます。漁業者も、子供がオヤジの跡取りを希望して、漁師で豊かな生活が約束できるよう、漁業資源の回復事業をオヤジ一代の一生一代の大仕事として、日本全国の漁師が団結し、政府の保護の下、今、始めましょう。

全国の一人親方の漁師さんに呼び掛けます。

一致団結して魚種の保護活動をしましょう。

都会では、なんでも揃うスーパーで買い物をして食料品の出どころを考えずに生活していました。ですが、漁業資源は間違いなく減っています。世界中で漁獲量が減り、魚の種類によっては、コウノトリが日本から絶滅したように、一部の魚は幻の魚になり得るような気がします。

今こそ、未来の漁業資源を増やす政策を世界中で同時に行わないと、魚の種類によっては資源復活ができない恐れがあります。漁業国ニッポンが、国民と、政府と、国内の漁師さんが団結して漁業制限を始め、制限による漁業者の生活支援は政府が保証して、国内の漁業制限で魚の資源保護ができれば、日本国が漁業資源回復モデル国になり、世界中の漁業国に、漁業量の制限を訴える政治努力が必要な時だと知らせることができると思います。

国民の為に成す政治を志して政治家になった方、優秀な知力を有している官僚の方、今は、コロナ感染者の増加を抑える事に腐心して、それで結構ですが、次の次の、未来100年の大計を考える政策を唱える政治家と、所属省庁を跨ぎ、日本漁資源回復を目指す方の台頭を待っています。

私も、まだ何十年も生き永らえると思います、先行き、鯛やハマチ、カレイ、イカ、タコ、エビは勿論、イワシやサンマが高級魚になり高級料亭でなければ食べられない？

そんな時が来ないように願って、この本を出版しました、世論を動かす小さな努力です。

7

日本を養殖魚漁獲量大国に

天然資源を復活するには膨大な資金と美味しい魚を我慢する年月が要ります。地球国ができれば、世界中の国で養殖技術向上資金の問題は解決されますが、100年先の話です。

絶対に100年先では手遅れです。

明日にでも、日本近海の禁漁に変わる前に、養殖技術を高め、禁漁に踏み込んでもある程度は魚食文化を継続できるように大胆に政治的資金支援で日本が世界で一番魚養殖技術に優れた、養殖魚漁獲量大国にしましょう。

日本近海の魚種が壊滅して操業ができなくなるよりも、思い切って漁獲量を数分の一、禁漁に近づければ、数年後に魚影が復活します。そうすれば大型の魚が食卓を賑わし、その後は計画的操業で資源が枯渇しないよう、計画的漁獲で今以上の魚資源維持ができます。が、計画的漁獲をする漁師さんの怒りと魚が高騰して買えない消費者の怒りが爆発しそうで、深刻な問題ですね。

日本を取り巻く海には日本漁船だけでなく韓国、中国、台湾、ロシアなどの漁船もひしめき、日本漁師が漁獲制限すれば他国の船が魚の取り放題になります。日本だけ損をするのはという苦情が噴出するのは解ります。

他の漁業国と日本が外交的交渉で折衝を重ねて、未来の豊漁を目指す為、各国の協力を求めて、日本海、太平洋の魚資源を復活させる努力が必要です。資源が復活すれば、後は計画的漁獲枠を定め、毎年獲りすぎないように各国が協力すれば、永遠に魚資源は枯渇せず、一定量の魚が獲れれば良いのです。

養殖魚も培養肉魚も将来的に安定して生産できるようになるでしょうが、一番の問題は各国との、漁獲量を減らす外交的な交渉です。

外交上手な政治家が生まれにくい土壌が、日本の政治活動です。出る杭は打たれ、嫌われやすい。本当に国民の未来を案じる政治家ならば、世界の漁業資源を枯渇させせないと思います。政党争いをするより、国民目線で、党派を超えて協力体制をしき、世界に向けて日本の政治家全員で世界中の漁業国に漁業資源制限政策を訴えて、日本がリーダーとなりましょう。世界同時に実施する事前準備をしましょう。

魚資源が消滅するまでに、漁業資源を天然漁業から養殖漁業から得られるようにして、その技術を高め、沢山の種類の安くてうまい魚が陸上でも捕れるよう大々的に始めましょう。

漁業従事者と漁業関係で生活を維持している方に資金支援をし、養殖技術を指導して、天然漁業に頼らずに養殖事業で生活できる漁業補償制度を設けます。日本だけでなく世界中の漁業関係国全て同時に養殖事業を手掛けるのがこの問題を解決する手段です。

いろいろな魚種の養殖技術を研究する機関に大型予算を付けて、漁業捕獲制限期間の代替え魚種を生産できる体制を、10年位で実現させる事から始めます。

一番良いのは、外交ができる政治家を育てることから始める方法です。

自分の次の選挙に勝てる政策しか考えない政治家は要らない。国民向けのお金バラマキ政策よりも、未来に希望が持てる政策で、未来に国民が豊かな生活を保障できる政治政策を持った政治家を、魚を養殖するのと同じく、育成しなければなりません。

国民も、お金をバラマキ、国民に楽な政治を求めるよりも、色々の業界に利益をもたらす政策は誰かが損をする、国民の未来の為に自分が不利になって選挙で落選の可能性が有っても、国民目線で国民に我慢を強いる政治家を選びましょう。国民が未来の日本を思うなら、選挙で良き政治家を選びましょう。

世界相手に外交ができる総理大臣を誕生させましょう。

では、誰が良いのでしょうか？

あなた自身が変わる事です。政治に関心を持ち、あなたの子供が政治家に憧れるような日本を目指しましょう。そうです、あなたのお子様を政治家に……。

あなたのお子様なら、漁業資源を守り、地球から生まれる資源を世界中の国で公平に活用できる環境を作り、世界から核とミサイルを廃棄して世界平和を達成してくれるでしょう。

8

魚が無くなる前に魚資源を守る

私の素人考えです、このまま、10~20年もしない間に魚種によってはパンダや、コウノトリのように絶滅危惧種になる、漁師という職業も無くなるかも。

回転寿司屋さん、スーパーの棚から魚が消えて、サバや鮭、秋刀魚も幻の魚と言われるようになるかも知れません。

漁業資源を回復できるまで操業回数を減らすだけでなく、資源絶滅に近い魚は禁漁にするという、大胆で思い切った政策を実行する勇気が、日本国民と、イヤ、世界の漁業資源を利用している国の全てにあるでしょうか。そして、理解してもらえるでしょうか?

年数は、近海魚の例えではカニ、イカ、サバ、イワシ、鮭、など魚種に適した生育期間、漁業者が交代で休んでくださる事、全国の漁業生産者の収入が無くなる分は、過去の収入に見合う金額を国が補填する。コロナ政策で全国民に各10万円を給付するより小さな予算で可能です。

3、4年間漁業制限する事で、自然環境さえ大きく変わらなければ資源は回復します。

大胆な政策で、漁業組合と漁師の皆様に納得してもらえるよりも、納得していただく……思い切った政策を実行しなければ、日本近海の魚は壊滅して、漁師という職業は無くなってしまいます。少ない資源を追いかけて、取るもの勝ちという自然に逆らった事はもうやめましょう。漁業資源が回復したら、その後は資源が再生できる範囲での安定操業に切り替えて、数十年後には、逆に資源が増えるような、そんな漁業政策に変換しませんか？

その前に、日本の政治家を動かす利権関係を一掃させる為に、国民が賢くなり、国民の未来の幸せを求めるから、今、我慢をしてくださいと言う政治家を、国民が選び、育てるのが先決です。

次に、地球温暖化で魚種によっては絶滅する魚と、採算が合わない大衆魚も資金援助して養殖します。漁業資源制限期間中の代替え処置ができてから、始めます。

日本流の制限禁漁が、世界に先駆けて成功すれば、世界中の漁業国が日本方式漁業資源回復を実施し、そのモデルとなった日本は、世界に誇れる漁業国になれます。

資源を復活するには時間が切迫しています。今から始めても10年以上掛かります。個人がブログや本で呟いても、反響は起こらないでしょうが、漁業関係者以外に、料理界で活躍している人が、率先して漁業制限運動を開始されると、政治が動き出します。

魚が無くなる前に、料理界でも魚資源を守る声が津波のように沸き起こる事を期待しています。

コウノトリ、パンダのようになる前に、魚資源の枯渇が切迫しているように感じます。

9

瀬戸内海魚群回復プロジェクト

最近、大阪湾が綺麗になって海の養分が減って、ノリの養殖業がピンチとなり魚も絶対量が減少したらしい。

昨今の大阪湾の汚れた海が下水道文化で透明度が良くなり、綺麗になったそうです。栄養素の少ない透明な海では小魚の食するプランクトンの減少で魚資源が減る？

何とも、不思議です。私達は海の透明度が良くなれば魚が住みやすい環境になり、さかなの天国が出現すると思っていたけど。

ノリの養殖事業では海の富栄養化が減少すると商品価格の下落したノリしか採れないなど、自然環境は微妙なバランスで成り立っていたのです。

イワシとイカナゴ漁業で生計を立てている人、毎年イカナゴのシーズンにくぎ煮の季節を楽しんでいる人、イワシで養殖漁業をしている方には大変酷な事ですが、漁業資源が回復するまで思い切って禁漁しませんか。

イカナゴ、イワシの食生活は無くなったと思い、数年間は我慢していただきます。

多分、漁業者の抵抗と、消費者も安くて美味しい魚が食卓から消えると栄養問題にも発展して禁漁反対の声が大きくなります。政策賛同者の議員さんも反対者の票が欲しいので完全禁漁はできない可能性が高いでしょう。でも、できないから、禁漁をしないなら、10～20年先には大阪湾から魚が消えてしまいます。

未来の漁獲量を予測するデータが在ると思います、漁獲量が過去に比べれば何分の一しか獲れない時代です。イワシも高価になりイワシをエサにするには高価すぎて採算に合わない未来が待っています。

大阪湾で小魚を獲って生計を立てている方には、獲れない魚を追い求めるより思い切って養殖業などに転換していただくか、禁漁期間中漁業資源を増やす仕事についていただきましょう。協力者の方には漁業補償を致します。

その資金は……。禁漁で小魚が豊富になったら、再度解禁します、獲れた魚に、資源回復に費やした資金を回収する為に、少しだけ税金を課します、漁師さんは怒りますよね、永年禁漁してさぁー獲り放題だぁーと思ったら、税金を取りますでは？

何で税金を課すのか。資源が回復すると、過去の漁法と違いが生じます。豊漁に恵まれて作業時間が大幅に下がり、燃料費も節減され同じ漁獲量を得るコストが下がります。其の分の少しだけ、税金をいただくのです。

もう一つ、獲り放題の漁獲量の制限も致します。自然環境でせっかく元に戻した豊富な小魚を獲りつくしてしまったら禁漁効果が無くなるので、資源が減らないように漁業制限をして、大阪湾を小魚の養殖場にします。デッカイ養殖場ができます。それができれば永遠に漁業は守られます。世界中のモデルケースになるでしょう。

禁漁中の痛みは漁業関係者だけではなく消費者にも及びますが、今、漁業資源回復を始めないと魚種が絶滅してからでは遅いのです。絶滅した資源を元に戻すのに何倍もの期間が掛かります、その時、だからあの時、言ったのにと、後悔する未来が待っています。

イワシは養殖魚のエサになるので、養殖業が成り立たない恐れもありますが、イワシに変わる食物から抽出したエサを改良して育てる研究をしていただきたいと思います。

大胆な発想で直ぐ実施するには解決すべき問題が多々ありますが、瀬戸内海の漁業資源が回復するまで漁師さんが漁業制限をしながら、一部の方は、思い切って養殖業者に転換することを国の費用で進めるのは如何でしょうか?

瀬戸内海の魚資源が自然回復するまでで、漁業制限、養殖業へ業態変換、数年後には魚が増えると以後は毎年、漁獲制限しながら楽な操業で漁量を多く、労働時間短縮ができ、経済的利益を多くできます。

瀬戸内海の漁業が世界中の海洋資源回復のモデルとなる、魚資源を回復する政策を試しませんか?

瀬戸内海魚群回復プロジェクトは、日本初、世界初かも知れません?

アフリカのサバンナで生きている動物達は、草食動物と肉食獣が混在し、肉食獣のライオンが動物のピラミッドの頂点に居て、さまざまな動物が程よくバランスを保ちながら連綿と種族を維持しています。その原理を思い起こしてください。

昨今ではサイなど一部の動物が人間により殺戮されて数が極端に減少しているそうですが、温暖化による気候変動も影響しています。

雨季が減り乾燥が続きエサ不足で草食動物が減ると肉食獣の減少につながり、生態系のバランスが狂い出すと、全ての動物の減少につながります。

とんでもない大胆な発想の魚群回復事業です、実現不可能と断言しないで未来の食物連鎖を守る漁業転換が望まれます。

10

大概の魚を養殖で賄う

地球温暖化で世界の穀物資源が減少すると、牛肉、豚肉、鶏肉が高騰します。安価で栄養豊かで美味しい魚の漁獲量を増やす為、魚資源を獲る漁業から養殖漁業が主流になる時代を日本が先取りします。

貴重な国民のたんぱく源を失う前に、養殖大国に日本を変えましょう。

海洋に囲まれた島国日本では古来より食生活にとって魚は絶対欠かせない食品です。魚の乱獲と地球温暖化の影響で明日から日本では魚を禁漁にしますと決めても、国民が納得しません。魚料理を欠かすと貴重なタンパク源が失われ日本国民の食生活が成り立ちません。

料理店もお客様に出す料理の幅が限られます。特に、寿司屋、日本料理店では商売が成り立ちません。古代から現代まで綿々と続いた魚文化、国民の食生活を奪うと、国民は選挙で漁業復活政策を推進する国会議員を排除してしまうでしょう。

そこで、今後数十年を掛けて、近代マグロのように養殖技術を駆使して、イワシなどを使わずに大量に養殖できるように漁師さんに職種転換を求め、海で魚を獲る漁から、漁師さんが魚を育てる漁業を目指していただきます。

魚食に関して日本政府は、10~20年後に魚資源が豊富な海洋にする、魚食文化を守る方針変更を国民に説明して了承を得る時が近づいているように思えます。

魚食を専門に扱う事業をしている人も多く、日本の魚食を目的に来日する観光客も受け入れる施設を運営する方々の了解を得るのは至難で、10年も魚食から離れた国民を元の魚食文化に導く事ができるか、大変難解な事を承知の上、問題提起します。

政治家もうかつに制限、禁漁、養殖など口にできない現況ですが、私達の時代に未来に負の遺産を残さない、未来に希望の持てる日本を創りたいのです。

漁師さんに補助金を拠出し、養殖業者に職種転換することを促して、日本の国の台所を賄える位、大概の魚は養殖で賄うようにします。

　自然界の魚に頼らずとも、特別な魚以外は養殖魚でほぼ賄うようになってから、魚種によっては禁漁し、他の魚は漁獲制限を厳しくします。自然界で獲れる魚の全てを養殖できる事は不可能ですが、食生活の主流、サバ、鯛、イカ、エビ、マグロ、ハマチ、カワハギ、フグ、貝類などは国の補助金で市場価格を制御できるなら企業も本気で追従するでしょう。

　それでも、養殖できない魚種があるでしょうけれど。

　今は、シラスのシーズンですがシラスはカタクチイワシの稚魚です。シラス丼は美味いけどいつか、我慢していただく日が来るでしょうね。

　私達の時代に、先祖から続いた自然漁業法から大阪湾をデッカイ養殖場に変える思い切った政策を検討する時期に来ています、未来の資源復活の為に世界に先駆けて魚養殖技術を高めて世界最大の国家的養殖事業で魚資源回復を目指し、コウノトリや、パンダのように絶滅魚種を作らないように今から始めましょう。

11

日本だけでは世界中の魚資源を復活できない

日本が主体となって世界の漁業国の方向性を変え、瀬戸内海でのモデル漁業で世界を説得する政治的な外交が必要です。

日本だけで世界中の魚資源を復活はできません。それは解っています。

瀬戸内海で漁業資源を禁漁にし、養殖漁業に特化して資源回復まで国民が我慢しても、日本国を取り巻く海域では他国が自由に漁業をしています。

漁業資源復活を目指し禁漁にして、数年間は国民が天然の魚を食べるのを我慢できるだろうか？

皆さんはできない、無理だとお考えでしょう。

お寿司屋さんも、天然物を使わないで寿司が握れるか？和食の料理長も、養殖魚を永年ご利用いただいた贔屓さんに出せるか？　100年続いた暖簾を下ろせというのか？

怒りの声が聞こえるような気がします。魚の禁漁は国民も納得できない、魚屋さんも、漁師も怒りが沸騰して消費者の間でも世論が二分するでしょう。

皆さんもうすうすは理解されていると思います。禁漁ができない事になれば、10～20年後の未来は、もっと悲惨になります。天然魚の一部の資源が消滅して再生不能になり、魚種によっては幻の魚になってしまいます。

もし、少数ながら種が残っていても、コウノトリのように復活するには何十年もかかる事になりあなたのお子様は天然魚を知らないで過ごす事になります。

そんな国民も、漁業資源の復活の為に数年間魚食、新鮮な魚を我慢して、進化した冷凍技術を使った魚で我慢する日常生活を過ごして欲しいと願っています。イヤ、我慢しなければならないのです。

日本で一部の魚を禁漁、もしくは強めの漁業制限をしても、日本を取り巻く数カ国の漁業国は日本が禁漁している事を、これ幸いに、漁業を続ける国があれば何も改善しません。日本の漁船が居なければ、これ幸いに魚を獲りつくし、一部の魚資源は漁業制限しても回復不可能な魚種が消滅して幻の魚になってしまう事もあり得ます。

この問題を解決しなければ、日本国民が大好きな食文化を犠牲にして、税金を使って漁師さんの生活支援と養殖魚種を増やし、国民の魚食文化を犠牲にして自然界の魚種増加計画を行なっても、無駄になります。

世界中の魚資源を守る為に、他国の無制限漁業をゼロにする努力が必要です。

今、日本が立ち上がり、未来の魚資源を守る方法を、世界中の漁業国に訴え、養殖技術の確立に世界中で取り組みましょう。世界の漁業国が禁漁できるよう漁業国を一つにまとめる事を日本がしませんか？

日本外交の永遠のテーマ、外交下手を返上する機会です。世界の国が一つになって禁漁をしなければならない時代が目前に来ています。まだ、早いと侮っていては遅きに失する事になります。

12 日本がリーダーとなって進める

私達には先祖から受け継いだ豊富な海洋資源を、未来に生きる私達の子孫に受け継ぐ責任があります。

自然界の魚が枯渇する事が解っているのに、少しの漁獲制限でお茶を濁している漁業国の姿勢を変えたい。海洋に魚影が見えない静寂の海になる前に、今、強力な漁獲制限と養殖技術にお金を掛ける国を増やしたい。

日本の近隣諸国の国民で漁業を生活の生業にしている人はどの位いるのでしょう、その人達に日本同様に禁漁期間を設けましょうと言っても何処の国も従わないでしょうね。

海洋の漁業資源は国境を定めずに回遊しています。国の領域に泳ぎ着いた魚はその国の物で自由に獲れます。それを制限するには、漁師と獲った魚を流通させる業者、魚を使い料理する料理店、食生活に欠かせない魚を食べられない国民の協力が必要で現状社会では実現できそうもありません。

今後、世界の海で魚資源が枯渇しだしたら？

自然界の魚は希少価値になり食料品の中で高級食材になり、金額が牛肉の何倍にもなり日常では食べられないくらい高騰して珍味食材になれば近隣国も将来の魚資源復活への政策をしなければならなくなります。

その時、日本では養殖魚で通常の食生活は賄えるようにしましょう。

日本で養殖技術が進歩して大方の魚を養殖できるようになったら、日本の技術を外国の漁業国に輸出します。世界中の国で大部分の魚養殖が可能になれば、日本と世界の漁業国は一つになって漁業協定を結び、世界同時全面禁漁へ足並みを揃える事ができるでしょう。

大変難題ですが、世界の国の協力を得て解決しなければ、50年後には、世界の海からサメも、イルカも北極の氷が無くなるとオキアミを主食にしているクジラも消えてしまいます。海は生物が見られない群青の静寂な塩しか採れない、沈黙の青い海になってしまうでしょう。

この本を出版した意味は、地球環境悪化を防止して、未来に生きる私達の子孫の生活環境を豊かにする事を考えてのことです。

あなたの子孫が未来に呟く言葉が聞こえます。先祖の努力のお陰で人類不滅の世界を造って人類の繁栄を約束してくれて有難うと言われるか、反対に、先祖が自分達の欲望のままに資源を獲りつくし地球環境を悪化させ人類の滅亡を招いた先祖を嘆くか、今に生きる私達の責任は重いです。

世界中のリーダーを自称している人、民衆の反対を承知の上で漁業制限を世界に訴える本当のリーダーが生まれるのを待ちます。

本当のリーダーは、国民の未来の幸せを考えて反対運動に正面から立ち向かう人です。その人こそ本当の英雄と思います。ノーベル賞だけでなく、世界中の国から勲章が授けられるでしょう。でも、英雄は叙勲を目指していません。後世に生きる人達が漁業資源を守ってくれたリーダーの名前は忘れないでしょう。

できれば、世界に訴えて、日本国首相が地球資源を守り、世界中の人々が未来に豊かな生活ができる環境を造る行動力を示していただきたいなと、考えたりします。

日本の政治手法が世界のモデルになれる。お米と塩しか資源の無い日本だけど、海洋豊かな日本が海洋を利用して国民の生活を豊かにできる政策がある事をご認識ください。

13

海洋国日本が率先してモデル政策を実施

漁業資源復活の始まりを期待しましょう。

人間は動物と違い未来を予測できます。

未来に何を為すべきか、知力ある人類は食糧難を解決できます。

海洋国日本が率先してモデル政策を実施しながら世界に発信しましょう。日本国の首相が歴史に名前を残すチャンスです。

海洋魚資源が獲れなくなる時期は何時頃？

すでに始まっています。２０５０年頃には海に食料になる魚は絶滅するような予感がします。

今世紀は20世紀と違い、地球環境の悪化が年を追って酷くなるように思いませんか。

温暖化が進めば陸地以上に海洋の急激な温度変化に対応できなくなって、イワシなどの大型魚のエサになる小魚の群れの生育不良で小魚をエサにしている大型魚の生育も悪くなります。雪ダルマ式の環境悪化で、秋刀魚、イワシ、サバなどの身近な食料品が獲れないとマスコミで取り上げられる事が多くなってきています。

海洋の魚が消える時を待たずに今から未来を予測し政府の資金保障で養殖技術を高める事が必要です。そして、大方の魚の養殖技術を高め、安く大量に採算が合うような養殖漁業が可能になったら、日本がリーダーシップを発揮して漁業国に同じ政策を取るよう協議していきましょう。他国の漁業国と同時に実施しなければ何も変わりません。

他国民も魚資源は無限でないのは承知しているでしょう。

日本が漁業資源復活のルール作りを呼び掛けて、近未来に魚資源が完全に枯渇する前に、国同士が連携した政策が実現できるよう、まず、国同士が険悪であっても、民間の魚資源に詳しい専門家同士が集まり意見交換会を重ねて行く事から始めましょう。

その先に、解決策が見えて来ます。

話し合いは知的生物、人間しかできません。国同士の利益になる政策を、利権しか考えない国の指導者を国民が選挙で追放して、知性と人間性に優れたリーダーに変えるべきと、思いませんか？

賢い国民は、賢いリーダーを選びます、賢い国民を育てるのは、賢いリーダーです。

現実と未来社会の相違を科学的データにて説明して、如何に環境を守って行くか具体策を示し民衆と一緒に考え、未来に希望を持てる政策を実施しましょう。

あなたも、あなたの子供、子供の子供、あなたの孫が豊かな生活環境を守る為に、声を上げましょう、良き先祖になりませんか？

それとも、あなたが食卓の魚に恵まれた今の生活に満足して、子供達の未来は、考えない？

14

漁業資源の復活には地球温暖化の防止が必要

突然ですが、漁業資源の復活に欠かせないのが地球温暖化の防止対策です。

今、不安を感じています。

私が10代の頃、夏休みの暑い日に映画館に涼みに入ると、裕ちゃんの日活作品『風速40米』（1958年、日活）という題名の石原裕次郎さん主演の映画を上映していました。

あの時分は映画館全盛期頃です。裕ちゃんの人気映画だから満員で、その上入れ替え無し上映ですから、途中入場の人も2回見るので、人が溢れていました。

映画館を出ると、当時流行った頭のすそを刈り上げて前髪を長くした裕ちゃんカットの人が、タバコを口に咥えてズボンのポケットに両手を突っ込み、肩をチョット挙げてすっかり映画の主人公に成りきって

暫く映画の余韻に酔いしれていた時代です。

裕ちゃんを知らない人の為に、人気刑事ドラマ『太陽にほえろ！』（日本テレビ系、1972年〜86年）の主演男優です。ボスの藤堂俊介役でした。52歳でお亡くなりになりましたが。

当時、美空ひばりさんと石原裕次郎さんは二大スターでした。

当時では風速40メートルが最大の台風だったようですが、あれから70年近く経った現代では、気候変動のために、風速50メートルは当たり前、瞬間最大風速が80メートルに達するスーパー台風も発生しています。

風速は高い山や風の威力が増す地形によって変化しますが、温暖化で海水温度の上昇で発生回数が増える上に、巨大化するお化け台風が日本本土を襲う可能性が毎年増えそうです。

風速50メートルを超え60メートル位になると、車は横転して戸建て住宅の屋根が吹き飛び住居が倒壊、被害拡大の恐れが出て来ました。

地球温暖化を急いで止めなければ１００年後の未来はどうなる？

魚類、肉類、穀物類、果物類、野菜類の５大食料資源の枯渇と巨大化する暴風雨、巨大化する台風などを想定すると、私達が豊かな生活を謳歌しているツケを私達の子孫に払わす事の罪悪感を覚えます。

地球と人類の１００年後の世界を穏やかな住みやすい環境にする１００年の大計を、世界中の指導者が考えて行動を起こす時期は、すでに遅いかも知れませんが……。

世界中の国が始めているが、生ぬるいように感じます。

「地球国」を創り世界を一つにして、もっと厳粛に厳しく進めなければ遅きに失することになります。

第5章　大阪市の活性化計画

1

道頓堀川を清流に

外国人がめざす関西観光名所は、京都に次いで大阪です。
私も年に何回も大阪城周辺の四季を楽しんでいます。

御堂筋の散策も良く、心斎橋筋商店街を人混みにもまれながら、戎橋、難波周辺に足を延ばし、大阪を楽しみ、歌舞伎が来ると大阪松竹座に通っています。

観光客のメッカになっている大阪の道頓堀川沿いは整備され、木造の通路ができて、散策に素晴らしい環境になっています。

戎橋の上にはグリコ看板の前でポーズしている観光客が切れ目なく押し寄せています。

橋の上から川面を眺めると水の汚れは以前より少しはましな気がしますが、夏はその臭いに圧倒されます。

余計な事だと思いますが、鮎が泳ぐ清流に変えませんか。

新型コロナウイルス感染症の流行により2020年4月に発出された緊急事態宣言は5月解除されました。

大阪も長い経済自粛生活が続いたので、道頓堀川も少しは綺麗になったかなと思い見に行きましたが、残念でした。流れもなく淀み、汚れは変わらず、川の色はコーヒーとカレーを混ぜたような色で、白いシャツを浸けるとベージュ色に染まるような感じでした。

新型コロナウイルスのワクチンや治療薬が完成して、誰でもが安心して以前のような生活に戻れたら、又、外国から観光客が押し寄せて大阪の経済は発展するでしょう。

川の両岸には木製の遊歩道が整備され、道沿いのテラスでコーヒーを飲み、たこ焼きを食べて、そぞろ歩きが楽しそうだけど、肝心の道頓堀川に目を落とすと、川の汚れは隠せません。ガッカリします。

著者撮影

大阪観光に来た外国人が、再訪したい大阪にする為に、美味しい物を売る街だけでなく、美しく変貌した街を作りましょう。そうしなければ飽きられます。

20年位経って、清流の水都が誕生して、世界から人が集まる環境都市大阪、何度でも行きたい街に変換できるチャンスは今です。

吉村知事のコロナ対策は万全でした。これで、あなたへの府民の信頼度はアップしました。

この勢いで何十年前から水質浄化対策に税金を使ってきたけど、今回はもっと徹底的に府民の皆さんと一体で取り組み、資金も投下して、未来の観光客誘致の設計図を考えませんか?

20年後には、川底の水草がゆれる中を魚が泳ぐ姿を見ながら、臭いの無い川面をボートで遊覧して、阪神タイガースが勝利すれば飛び込みたくなる、清流の道頓堀川になる。

川を蘇らせた市民の力が注目され、世界中から人が集まる観光名所になります。

莫大な税金をつぎ込むけど、完成すれば経済は発展して、元は絶対、取れるようになりますよ。大阪市内のどぶ川を全て清流に変えると、観光客のオーバーツーリズムが心配ですけど、もっと活性化しますよ。

あくまでも個人の発想です。大阪市民の皆様、お怒りの無いようにお願い申し上げます。

2

観光名所を新しく増やす

コロナウイルスが蔓延する２０２０年5月23日、大阪市グリコ看板前の写真です。観光客が消えてしまった戎橋周辺です。あれから4年近くたちました。観光客のメッカであり、今では人通りが途絶えません。

コロナウイルスの影響がなければ、大阪の名所グリコ看板前で、写真撮影に興じる観光客でごった返しているはずが、5月23日午前10時撮影写真のごとく、誰一人歩いていません。

信じられない光景なので写真を撮りました。

観光客がゼロでは大阪経済にとって劇的危機の状態です。元の賑わいを取り戻すのは何時頃、来年、再来年、その先はどうなると心配したものです。

コロナ後は、ソーシャルディスタンス社会の始まりで人の生活環境も企業経営も変わると言われています。

どのように変わるかって、人類は幾多の災難にも打ち勝ち、地球上で一番繁栄している生物です。働く環境も変わり、事務所ビルは随分と影響を受けて、教育現場も新しいスタイルが出来上がり、子供達は戸惑いながらも環境変化について行くでしょう。食生活、流通、交通インフラも、人型ロボットの活躍時代が始まり、家庭生活は良い方に変わります。経済を担う人の時間的余裕が生まれ、家族でバカンスを楽しむ時間が増え、趣味にスポーツ、芸術、娯楽に観光が活発になります。

著者撮影

そうなると、日本では観光資源を持っている京都や千葉の舞浜が断然有利かな。

大阪も、アミューズメントパークと美食と買い物で世界から観光客が来阪します。

コロナが小康状態になった２０２３年11月、予想通りになりました。

これで喜んでいては、ダメ。

飽きられない観光地になる、リピーターに支持される観光地になるには努力が要ります。

10年後の観光名所を新しく増やしましょう。

大阪城とグリコの看板と食の文化以外に、芸能の街、笑いの街、世界中から笑いを求めて観光客が集まり、世界の笑いのエンターテインメントが演技する街、そう、ニューヨークのブロードウェイ、ミュージカル劇場街のような街に道頓堀を変えましょう。

名所は経済のドル箱、訪れる人を増やしましょう。

次に20年、30年後の未来を想定して、府民の意識の変化と税金の投下によって、大阪府内流域の河川の浄化を、川の環境を守る為に強力にアピールしませんか？

大阪府も大阪市も河川の水質浄化に随分とお金を掛けてきた歴史があります。干潮と満潮の高低差を利用して幾つもの水門を敷設する等、自然の流れを利用した大胆な工事をして来ました。過去から比べると格段に水質が良い方になっているらしいですが、中途半端です。

川の水質汚染源を追及して汚染の元を絶つ為には、企業や商店、府民の中に、川が汚染される原因を取り除こうという考えが浸透する必要があります。そうしないと、清流に蘇らせることは実現しません。

川の汚染防止対策を理解して、ビル、家庭からの汚水の流入停止、道端にポリ容器、ゴミ類は捨てない、タバコの吸い殻1本も路上に捨てない。タバコの吸い殻1本が最終的に側溝に流れ込み、川の汚れに堆積する事を理解してもらいます。

あまり好みませんが罰則もいるかな？

大阪人が川の美観理論を理解して10年20年間努力すれば、川に清流が蘇り未来の経済発展につながり、世界に誇れる環境都市大阪を実現できる。その説明を丁寧にすれば、心を一つにまとまれると信じています。

田舎では、子孫に美田を残すのが務めですが、大阪では子孫に清流を残しましょう。

２０２３年、阪神タイガースは38年ぶりに日本一になりましたが、前回日本一に輝いた時にファンが次々に飛びこんだ道頓堀川の水の色は絵を描く時の筆を洗うバケツより汚く臭く、高所から飛び込む勇気より、どぶ川に飛び込む変な勇気が要ります。

戎橋から飛び込む若者には、清流を届けたいものです。

世界中からグリコの看板前で記念撮影する人が集まる道頓堀を想像してください。

グリコの看板に拘り、有名になった原因は？

一粒３００メートルのキャラメルやポッキーが好きだからかな？

3

大阪中の川を清流に

世界から観光客が殺到する大阪がさらに飛躍する秘策、大阪市内を流れる川を浄化して、世界の常識を変えましょう。

簡単ではないでしょうが、道頓堀川を川底迄透明な清流に変える。パリのセーヌ川もロンドンのテムズ川、ドイツのライン川、ベニスの大運河も透明な河とは言えません。大阪モデルで世界の有名河川の革命が起こります。

大阪都構想は１９５０年代から検討されていたようで当時の指導者の感性は素晴らしいです。

実際の行動は他の候補を大差で破った橋下大阪市長、松井大阪府知事が誕生してから始まったようです。

どんなメリットがあるのか、反対派と賛成派の意見は多様でチョット見では解りにくいです。

府と市が合体して統一効果で市民、府民にメリットは？

市民サービス中心の政治は選挙民から喜ばれますが、市内の河の浄化作戦に多額の税金を投入する政策は、市民の未来に債務を残す悪い結果になります。

市民に負担を求める政治は府民から支持されず選挙で落選する確率は高くなります。 

しかし、落選を恐れず、政治家として良心的に後世の子や孫達の未来に良くなる政治家が誕生することを期待します。

例えば、道頓堀のグリコ看板を背景に記念写真を撮っている旅行者にどぶ川の臭いをかがして、申し訳なく思いませんか？

反面、夜はネオンまぶしくグリコの看板が水面に輝き、汚れた川面が鏡のように輝き、夜に観光した外国人は満足して大阪ｇｏｏｄと言うかも？

思い切って、道頓堀川と大阪全ての川の透明化を目指しませんか？

し尿を完全にシャットアウトする為に、法律の強化で罰則金を際限なく高めて大阪市民は汚水を川に流さない努力が必要。

大阪の河はなんで汚いの？　川底に過去からの堆積物が原因なのか、上流に下水道の放流水の影響、工場やビルからの見えない部分での放流、雨と共に排水溝に流れ来るごみ類が本流に飲み込まれての汚濁、その原因を取り除きませんか。

当然、川の上流に住む人たちの生活水、街の縦横に張り巡らした側溝のごみ類のマナー違反、ビル、工場からの排水、寝屋川の水質改善と、堂島川、土佐堀川、道頓堀川の川底の泥の徹底した浚渫（しゅんせつ）、水流が途絶え、河の流れが淀んでいる部分で強制的に水流を起こし（勿論、水流を作る電気は太陽光など環境に優しくする）、大阪府民の力で、大阪の河を透明な清流にしませんか。

年月と、随分な費用が発生するでしょうけど、未来の子孫に残す大阪人の意地を見せてほしいですね。

成功すると、大阪の河川が蘇り、臭いも無く清流に泳ぐ魚を遊覧船で回遊できる河に生まれ変わると、世界中から観光客が押し寄せる。

イギリスも、ドイツもフランスも有名な河の汚れに努力をされているでしょうが、道頓堀川が蘇れば、清流に蘇らせた大阪の清流技術対策が世界の川の清流化マニュアルとなる。

汚濁された河の浄化を目の当たりにして世界中から研究者、政界のリーダーと政治官僚、関心を持つ企業経営者、観光客が押し寄せます。

あなたの子孫に残す財産として、大阪人の誇りにかけて、思い切って頑張りましょう。

関西の水がめ琵琶湖の所有者、滋賀県民が琵琶湖を汚さない努力をしている事実を認識して大阪市民も覚悟を決めてやり抜く事をおすすめします。

実施できれば、良いことは大阪湾が浄化され、瀬戸内海が美しくなる。
悪い事は、大阪湾が綺麗になるが、清流に魚は住まないので漁獲が減るかも？
世界の同じ悩みを持つ国から称賛される。
綺麗な清流の道頓堀川で観光客をおもてなししましょう。

大阪の繁栄は京都、神戸にも影響を及ぼします。観光客の増加につながり経済的に関係性があります。日本の繁栄にもなります。明日の糧も大事だけど、10年、20年後の未来を考え、今できる事を始めなければ、気が付いた時にはあの時、誰も考えないから、しまったと、思わないために、今、ご検討いただきますよう願います。

第6章　人種差別

1

地球国ではみな兄弟

私達日本人は太平洋戦争で敗戦国になってアメリカの民主主義政策を見習い、人は自由で平等、肌の色で人種差別はしないと教えられて来ました。その、アメリカに人種不平等がある。なぜ?

地球国が誕生すると白人、黒人、黄色人全て地球国の人類は平等、人類は皆兄弟として世界中の人の認識を改める世界一貫教育を始めます。

過去の悪い時代の歴史を学びながら過去の歴史観を変えてしまいます。

黒人のジョージ・フロイドさんが2020年5月25日、白人警官に首を押さえつけられ亡くなりました。

お願いだ、息ができないと、助けを求める動画が公開され、多くの方はTVで視聴されたと思います。

アメリカでは6年前にも警官が黒人男性の首を絞めて死に至らしめた事がありました。

黒人に対する裁判で、白人警官が罪に問われなかった経緯が多々あるらしい。

アメリカで、人種差別の奴隷解放宣言が１９６３年出されて、法的に差別は無いとされていますが、現実に黒人は教育を受ける機会が少なく、学力差による給料差もあり、日常の健康状態も劣り、新型コロナでの感染確率は高いと、言われています。

アメリカでは南北戦争でエイブラハム・リンカーン率いる北軍が勝利して奴隷解放宣言が出されたが人種差別や選挙権を保障する制度ができたのは１９６０年代です。

それから、60年以上が過ぎてもまだ、白人至上主義が蔓延しているのは不思議な気がします。


私達日本人は、戦後教育の中でアメリカは自由の国と教えられ、それまでの日本の軍国主義一辺倒の世界から解き放され、言論と表現の自由は素晴らしい事だと信じて、今も自由を当たり前に受け止めて自由闊達に生活しています。

そのアメリカで不平等があり、自由が制限されるのですね。

アメリカの人種差別は根が深く、深刻な国の問題です。

60年を超えても人種の問題を解決できない国、黒人、白人との呼称すら、人種差別のような気がします。私達アジア人も黄色人種と呼ばれているのでしょうか？

アメリカは自由と平等の国、アメリカの基本理念を何処に置いてきたんでしょうか。

アメリカこそ、子供達から教育方針を改めて、直ぐに人種間平等の基本を世界に示そう。

2

国民の意識を変える

もし、ルーツを遡り、黒人が地球人口の90%を占めていたら、白人は逆に黒人に少数民族として迫害されているかも知れませんね。

日本では部落差別が過去にあったようです。が、法律が制定され、差別してはいけなくなりましたが、どうでしょうか?

まず、世界中の国のリーダーの主観を変える事から始めます。

独裁者でも、国民が肌の色での識別反対、人類平等を唱えれば、無視できない時代になります。

国民の意識を変えるのは、人類の未来に向かって必要な知識を教育する事です。

世界中の学者、知識人と言われる方、マスコミ関係者が、国民に向かって勇気と正義と平等を訴える努力をしているようには思えない昨今を嘆きます。

でも、地球国になれば簡単にできます。

日本国内では単一国民、肌の色も同じで肌による人種差別はありませんが、世界の国では、政治政策、リーダーの考え方、過去の歴史的対立国家など人種差別は現在も行われ、ギスギスした感情論に発展、お互いに憎しみ合う、悲しい結末になっています。

地球国を創る目的は、地球国の人類は誰も平等である事を認識して、人種差別のない国を目指すことにあります。

黒人、黄色人種、白人も同じ人間同士、肌の色で識別した人種差別は、差別するほうが優位性を保っていると思うからです。

結局、多数勢力、経済を握る人種が、差別する人となります。そして、貧富の差、肌の色、国同士の歴史的迫害行為を生み、それが現在も続いています。

差別する人は、立場上の優位性を誇示するためで自分の心の弱さを露呈しています。

本当に強い心を持った人は誰にでも心を開きます。

世界の政治家が肌の色も含め、全ての人種差別は間違いだと否定すれば随分と世界は変わるのだけど、過去の間違いを正す、勇気を持って欲しいですね。

一番大事なのは、私達、国民が世界の政治のボス、リーダーに誰が正当か、国民の為の政治がされているか、国民の賢明な選挙判断が未来を左右するでしょう。

我が国の首相が、核の廃棄、世界平和宣言、人種差別を力強く世界に発信する信念の政治家が生まれる土壌を作るのは、私達、民衆の多数の力です。

3

地球国思想教育の普及を

時代が変われば、あのコロンブスも原住民を奴隷として国に連れて帰り迫害した人になります。

アメリカの英雄と言われたリー将軍も奴隷制に反対したリンカーン大統領の連合国と奴隷制継続で戦った英雄も批判の対象になります。

アメリカ以外の世界の何処の国にでも人種差別はあるようです。人種差別をなくすのは、一つの国だけでなく、世界中の全ての国で「人類は平等」の教育方針を一世紀続ければ、世代が変わり人種差別は無くなるでしょう。

アメリカでは過去の偉人が人種差別問題で歴史認識の変化で歴史の見直しがされています。

南北戦争で、奴隷制度廃止のリンカーン大統領の連合国に対し奴隷制を守るため、連合国から離脱して南部連合大統領だったジェファーソン・デービスと共に戦った南部連合のロバート・E・リー将軍は南部では英雄として記念像があり、西部劇映画では優勢な北軍と戦った劣勢の南部軍リー将軍の名前がよく出てきます。米軍の基地も将軍の名前を冠した基地もありますが、基地の名前を変更する事も検討されているそうです。

私達が学んだ歴史上の偉人達が人種差別問題で歴史認識が変わって驚きです。15世紀にアメリカ大陸を発見したコロンブスが先住民の権利を侵害したとの理由で批判対象になっているのも、驚きです。

私達は学校で、コロンブスの偉業を学び、コロンブスの本を読んで心躍る思いで冒険物語に魅せられ、憧れの凄い人だと思いを馳せていました。しかし、コロンブスは先住民から黄金を奪い、スペインに奴隷として連れ帰りました。子供の時に読んだ彼の業績と違い、人間性は褒められるような人ではなかったのは残念です。

アメリカの人種問題、黒人を奴隷制度の時代と同じように思っている白人警官も居れば、改変を唱える白人も居て歴史の由来を変えてはならないと唱える人。デモなどで奴隷制度の弊害、人種差別を変えなければならないと思っている人が多数いる事は救いです。

自由の国アメリカ、希望の国アメリカの未来を託せる良い指導者が生まれますように。

こんな未来予測もできます。日本をはじめ韓国、中国と人口減が続き、100年先にはEU諸国も、アメリカも人口減で世界から白人と言われる人が減少して、逆にインド、アフリカ系の人が増加してカラーと言われる人が人類の大半を占めると、黒人優位の世界になるのでしょうか？

白人系、アジア系に対して黒人から迫害がある世の中に逆転する可能性もある。

人を肌の色で判別しない、地球国人は皆兄弟です。

できるだけ早く、地球国思想教育の普及を始めて、100年以内に平和国家を設立したいものです。

第7章　貧富の差

1

人類の繁栄につながる教育方針

納税されたお金を飢える人に回し、恵まれない国に経済の移転をする、それが地球国です。

地球国でも貧富の差はできます。猛烈に働き財を成した人と職業差、学力差、努力差、チャンスに恵まれた人と恵まれない人と、収入差はでき、国の経済差もあります。

頑張れない人も頑張れるようにするのが地球国です。多額納税者には表彰制度を設けます。

成功した人から税金を徴収して飢えた人に食料を供給して経済を回します。

税金なんて払いたくない、他人の為に多額の税金を納付するなんて考えられない思想をお持ちの方が多い昨今ですが、地球国では国の国力差、地域経済差、都市と農山村経済差、個人資産差で貧富の差は無くなりません。

国力の差で国民が飢えの苦しみに喘いでいる国には恵

まれた国から資金を提供して国力の向上に尽くします。

国力に劣る国も、援助資金で国の経済を発展させて恵まれた国に生まれ変わり、自国より劣る国に援助します。この連鎖を続けると、援助を受けていた国の資質が変わり先進国の仲間に入ることになり、そうして世界中の国が生まれ変わり、世界経済が良い方向に回って行きます。

地球国になっても、個人の生涯年収が多い人と、少ない人の経済格差は生じます。

教育費は無料でも社会に飛び出した時から、働く場所、職業の違いで年収差はできます。

働く意欲があり、新たな資産を増やす人も有れば、働いても給料格差と生活習慣での違いによる支出方法でお金がたまる人、パチンコ、麻雀、賭け事に夢中な人など、人生１００年時代は長く、過ごし方で人生の生活環境も違い、貧富が生じるのは今の世界と同じです。

賭け事に熱中して貧しく食費に困る人にも、怠けて、毎日働かず、釣りに、趣味の遊びに夢中な人も飢える心配はありません。生活に困らない程度の生活資金は支給されます。

反対に一生懸命働く人、事業で成功する人、富ができた人は独り占めするよりも、社会の発展、経済力ＵＰと国民の生活向上のため、飢える人に富を持つ人から納税をしていただきます。

現代の税金制度の法律を根本的に変えてしまいます。

現在、どれほど多くの税金を納めても表彰を受ける人はありません。

多額の税金を納付する人を国が表彰して名誉を与えます。

名誉を得る為に税金を多く納付する人を増やす政策を実施します。

地球上の人類の繁栄につながる教育方針を優先します、現在と少し教育方針を変化させます。

現代教育方針を大きく軌道修正します。


まず、平和な心を宿し、人と争わない、人を殺めない、戦争は悪であること、戦争を煽るリーダーを排除する心、善と悪を理解ができる心、子供達に正義心と弱者に優しく、人を慈しむという義務教育を、世界共通に実施します。

資産の無い人に支援する事は、未来に巡りまわって自分も潤う事を学ぶから、人を許せる大きな心を宿すことができる、そのような教育を致します。

新しい平和志向の教育を受けた子供達が大人になり、政治主導する頃から世界は変わっていくでしょう。


その時、論じて貰いたいのがアルコールの是非、賭け事の是非です。

パチンコ屋、競馬場、競輪場、麻雀屋、国の定めた賭博場などの賭け事場所をなくす方が社会経済に利益になるか、無駄な遊び場所か？

その他、飲酒、タバコなどの嗜好品も働く意欲に貢献するか、賭け事の事業で得た利益を税金で還付しても、不可とするか、未来に生きる国民が決める事になるでしょう。

未来への返還には検討課題は多いです。

2

国民全員が幸せと思える政策

地球国国民の全てが幸せだなと言える政策が目標ですが、働くのが嫌い、毎日遊んで暮らす人も生活の保障は当然します。

しかし、それ以上の生活はできないでしょう。地球上が一つの国になれば何処の国にでもビザもパスポートも不要で往来自由で旅行も移住もできるけど、やっぱりお金が必要です。

地球国、創立後から素早く、核もミサイルも廃棄して、戦争という言葉は過去の遺産として新たな防衛対策を地球国で管理します。

当然、地球温暖化防止対策も、地球上で産出する食料、鉱物資源、エネルギー資源、漁業資源など産出国の財産を守りながら、地球国で管理し、公平に必要な所に必要な資源を回し、経済が何処の国にも隔たり無く届くようにします。

次に、地球国を形成する各国の生い立ちによる政治姿勢、教育格差、生活習慣、国民思考、宗教派閥、貧富格差など、国毎に違う政治方針は全て捨て去ります。新たな思考で、国民全員が幸せと思える政策を致します。平和で全ての地球国国民の生活が保障され、国民の全てが幸せだと思える地球国を目指します。

地球国の目指すものは。

現在の地球に存在する国（約２００カ国）の中で政策的に国民満足度が高くて、国民幸せ度の高い国の水準を超える政策を行います。

子供が給食しか食事にありつけないなどの、本当に貧しい人を地球上からなくし、働きたくない人も一定程度の生活レベルを維持できる事ができるようにします。

そんな世界が有れば、俺は働くのが嫌いだから絶対に働かない、毎日遊んでいても食えるなら贅沢できなくても結構、釣りに、パチンコに、趣味に没頭して、自分の人生を楽しむんだと言う人が出てくるでしょう。

『働かざる者食うべからず』の諺は地球国では死語になります。

働かない人にもある程度の生活水準を整えます。

現在、一生懸命に働く人から見れば、働かずに気楽に生きる人の為に必死で働き得たお金から多額の納税をして馬鹿々々しいと思い、許せないという人も出てくるでしょうが、地球国では働かない人も許されて一定程度の生活保障はします。

地球国教育方針は人に寛容です、どんな生き方をしてもそれぞれの考え方の違いとして、許されます。自由な生き方で良いのです。現在と違う価値観を教育で教えます。

教育を受けた人は、地球国で働くことが社会貢献であること、人の為、税金を納付する意味を理解します。地球国は、多額の納税者に、スポーツアスリートや、ノーベル賞受賞者のように、敬意を持って表彰制度を設けます。此処が現在と違います。世界長者に上り詰めた人は努力と根気と発想と運に恵まれて成功者になって、自分の欲望と希望を満たし幸せならそれは大成功、国民の羨望の的になりますが、利益を得た分だけ税金も納めていただきます。

納税できる人から税をいただき、そのお金を飢える人達の糧に回します。

すなわち高い山から凹んだ場所にお金を流し込み、平坦な盆地に変えます。

ある人から無い人に経済の移動をします。

やがて、飢える人の中から事業で成功する人が何時か経済を回転させます。

教育内容が変われば、社会全体が変化して、現代社会に生きる人が思うほど、怠けて生活する人は居なくなります。

普通に働き、頑張る人には更に豊かな生活が待っています。

ビザを必要としないので、年に何回も地球上の好きな観光地巡りが可能で、旅行よりも趣味に生きる人には時間に余裕があるので自分に適した趣味に没頭できる環境を得られます。

皆様も、１００年後に、再度生まれ変わり、地球国で生活すれば、２０２４年から地球国設立の運動をして良かったと実感できるはずです。

今と比較できない、想像を超える、人類の理想国家が誕生しています。

3

飢える人をなくすことから始める

世界の国は経済が等しいとは限りません。
食料を輸入に頼る国、工業生産力の国、食物の輸出大国など国の活力経済格差をなくす為に、経済差、国力差を埋める為の政策をします。

財力と資源豊富な国と人材豊富な国、不毛の土地で産業の乏しい国を蘇らせるなど、世界が一つだからどんな政策でも可能です。

地球国が誕生しても各地域において貧富の差はあります。

地球国が誕生したら、最初に始める事は、地球国から飢える人をなくす事です。

経済的に恵まれた国でも食に窮する人がいます、国によっては大多数の国民が飢えていても一部富のある家族もいます。

地球国では、経済的に富める国から、貧困国に経済支援と富の移動をします。経済的に恵まれた人から税金を納付してもらい、経済的支援の必要な人に富の移動を行います。

日本の経済規模は、２０２３年は世界4位の見通しだそうです（ＩＭＦ：国際通貨基金２０２３年10月発表のＧＤＰ：国内総生産ランキングによる）。私は、地震が時々起こるけど、日本で生まれ日本人で良かったと思っていました。ですが、世界幸福度２０２３年度では47位とは、不思議です。
もう少し上位に位置していると思いませんか、皆さんは如何お考えですか？

この度のコロナの非常事態宣言で収入が途絶えて生活困窮者になった人が大勢出ました。

予期しない事態とは言え、こんな経済落差が拡がる事を想像した人は僅かでしょう。

預金のある人と少ない人との生活水準に落差ができて、路上生活している若者がテレビで紹介され、政府の方針で救済に多額の税金を使い、国民一律10万円を支給して、店舗の家賃補填、店舗の休業補償も行い、Ｇｏ Ｔｏ トラベルなど国民に寄り添う政策を実行しました。

その費用は税金で、国の借金です。いずれ、国民が消費税、所得税などの税金で国の借金を肩代わりする理論ですが、思い切った事をやりました。過去の政策ではありえない政策ですが、地球国では当たり前の政策です。

地球国で世界から税金を集めて経済弱者国に支援を行ない、富める国から最貧国に資金の移動をして、貧困国を経済繁栄国に生まれ変わらせます。

資源産出国から資源の無い国に資源を移し、世界の資源のバランスを保ち、農業立国から食料の足らない国に（日本も含め）食料の移動を行います。

工業生産国（日本も含む）から製品を世界の国に送り、生活向上を目指します。

地球国で国力の差を埋める為に微妙に富のバランスを公平に移動させます。


仕事で成功した人がその得た金額の多寡に応じた税金を国に納め、地球国で貧しい人に分配します。

現在と違うのは、地球国の国民は一つの家族のように、ご飯が食べられない人の為に、富める人から納税を促し、地球国では飢える人の無いように配分します。


地球国の国民が幸せと感じる物差しの中身（健康で過ごせる医療環境、豊かな年金を含む福祉生活、経済の活性化、インフラ設備、住宅施設の充実、教育環境満足度を高める）を十分に満たした政策を行います。

この政策の実現の為に、戦争の火種が起きないよう、核弾頭、ミサイルなどを廃棄します。

第8章　地球国を創る　Ⅲ

1

織田信長の世界制覇

日本にも世界制覇を夢に描いていた武将がいる、織田信長である。
彼は外国人を通じて、世界の歴史、世界の統治者、
世界の中の小国日本と経済格差を他の大名よりも知っていたと思われる。

信長の頭脳の中には、世界制覇による統治圏の拡大を目指し、軍備を整え勲功に優れた大名への領土増加の褒美の為に世界の君主を目指す考えがあったのではと思います。

信長が世界制覇を達成していれば、どんな政治政策体制を採っていたでしょうか?

歴史を振り返ると、世界中の国で地球制覇を考えていた歴史上の人物を思い出します。

日本では織田信長が、ポルトガル人からもたらされた地球儀を見て、世界中の国の中で、領土が狭い小国日本と広大な領土を従える大きな国家の違いを理解しています。

信長は、日本中の大名を従え日本の領主となった後、戦略的功績のある大名に与える褒美の領地が日本に無くなった時、他国の領土を奪い取る政策、世界制覇を描いていたのかも知れません。

信長が世界の統治者となったら、どんな政治でしょうか。

まず、独裁者君主となり、各国の大名を従えて自分の脳裏に描いた夢を行動に移すでしょう。

その時、大名に直接命令を伝え、中間管理職となる大名を置くか、置かないか、多分後者だろうと想像します。会社取締役のように数名の信頼する大名を指名して、指名した大名を通じて地方に分散する大名に伝達する方法を採っているでしょう。

信長を頂点にした、信長を円の中心においた日本国を統治する独裁君主となります。

地方大名も、信頼する指定大名も、信長の脳裏にある次の一手が見えません。

だから、信長が次の行動を指示する時に初めて、彼が考えている望みが解ることになります。大名は自分の想像していない指示を受けて、驚き恐れて、彼に背く事の危険性と信長の心の中を読み解けない自己能力の足りなさを痛感します。

ですから、反乱を企てる者は、明智光秀しか現れなかったのでしょう。
信長の際限の無い想像力は、自己の未来を予測し、計画的に地球上の全ての国を平定、君臨する事で、世界から戦のない世界平和を考えていたと推測します。
戦のない世界、民衆の為に、あらゆることを行います。
農業に関わる治水・河川の修復による収穫米の増産。漁民と火力燃料を産出する山を生活拠点にする村人、街道を往来する旅人で商いをする商家を中心に、物の交換制度を整え、物販を奨励。民衆の働く拠点生活が衣食住に満足できる環境整備をする。民衆の側に沿った政治ができたと思います。

彼の夢、希望は、世界中の民衆を苦界から解き放し、働く喜びが得られる天国のような住みやすい世界を作ることです。民衆に寄り添った政治手腕を発揮したでしょう。

また、世界制覇の為に軍備強化を世界中の戦情報から学び、鉄砲、大砲、軍船、戦上手な武将を育成し、国内生産物の増産と諸外国との貿易を活発にして、軍資金獲得に知恵を絞り、もっと素晴らしい納税対策を考えると思われます。

信長が日本国統治者となって生きていれば、今の日本国は違う国家に変わっていたかもしれないと想像ができます。

本能寺の変が無く、信長が延命して1617年まで生きていれば、豊臣秀吉、徳川家康も没しています。

2

世界史が大きく変わる?!

明智光秀の謀反が無ければ、織田信長がアジア圏、ヨーロッパ制覇を武将たちに命じたかも知れません。

家康も秀吉も他国の統治に世界に飛び出し、戦と平和交渉を続け、日本を離れた異国の地で戦に一生を捧げていたかも知れない。

信長が命を全うすれば、世界の歴史が大きく変わっていたでしょう。

日本も、世界史も大きく変わっていたと想像ができます。関ヶ原の合戦も、大坂城の攻防もありません。

日本国は信長により一つの国家に統治され国家安泰で、外国との貿易振興と外国人も受け入れて世界中で一番繁栄した国家になれました。

信長の能力を過大評価しても良くないけど、彼の先読み能力は桶狭間の戦い方で評価できます。そして、地球儀的俯瞰能力を宿しています。小さな国家の中の争いを終えて次のステップ、世界へのステップを常に考えていた。

日本の大名、例えば秀吉も家康も清正も、地球儀を観て日本の位置を知り、世界の中の日本の立地と日本の未来予測ができていたでしょうか？

信長の天才的思考能力を評価します。

徳川幕府も誕生せず、秀吉も家康も没するまで信長の重役として仕え、信長の野望と思える政治手腕に驚きながら、信長の夢の実現の実行役に尽くしたでしょう。

想像ですが、秀吉も家康も、世界平定の為に、秀吉はアジアの南の国、家康は中国、インド、エジプトと戦に明け暮れた毎日を過ごします。彼らは敗退と勝利を重ねながら、自分の命を削り、一族の繁栄の為、永遠に続く戦いの中で、異国地の食物を食しながら故国のお米と海洋国の魚の味を思い、美しき富士の山を思い出しながら、最後は見知らぬ国で生涯武将として命を遂げたかもしれません。

世界制覇を遂げるまで日本の大名は世界各国で戦争を続けます。信長の後ろ盾で世界最高の文明の戦争道具を与えられ、勝ち戦を続け、アジア圏から東ヨーロッパを超えて、西ヨーロッパを制覇して、戦に必要な先進的な武具の開発チームを世界に派遣し、勝利した国の武器を更に革新的武器に改良して戦に用い、制覇した国の武将を部下にして、遠い国アメリカ大陸にも攻め入って無理なく世界制覇を成し遂げたでしょう。

この妄想は、信長が80歳を超えてなお元気なら、の話です。

世界制覇ができていれば、今の地球温暖化もなく、核もミサイルも発明されていないと思います。世界平定ができると信長は民衆の生産性を高める政策を行い、全ての民衆が食に飢えない政治ができたと推測します。

明智光秀が信長暗殺を企てなければ、日本と世界の歴史がスッカリ変わっていたでしょう?

私も、あなたも生まれていないかも?

3

世界制覇のための政策は？

もし、シーザー、ナポレオンも、信長も世界制覇を描いて、仮に、三人の誰かが世界の統治者になればどんな政策を考えたのでしょうか？

中国の劉邦の漢王朝のような郡県制か、ローマ帝国時代の共和制国家も貴族が政治を主導しても民衆の意見を聞く、日本の江戸幕府の将軍と大老、中老体制か、気になります。

一人の統治者が独断専横の政治をすれば民衆にとって良くないと思いますが、世界の歴史が大きく変わり、現在の文明世界は実現していないように思います。

誰かが世界制覇を実現し、世界を一つにした政治体制が取られると、世界中で戦争は回避されますから、戦闘機、空母、潜水艦、ミサイル、ロケットなど戦争を有利にする軍需機材の発展が現在ほど進化していないと思われます。

世界平和になれば軍需産業は不要になります。

人類に役に立つ産業改革が、現在と違う世界を構築しているでしょう。

核弾頭もミサイルも必要がなく、宇宙空間を目指すロケットも必要ありません。

人類が初めて月に降りたった事実もなく、ウサギの餅つきを眺めながら満月の一句を競い合う良い時代を過ごすでしょう。


現代の生活基盤と違った、民衆にとっては幸せな環境になっていたかもしれませんね。

世界制覇の統治者の政治の良否で結果に大きな落差が生じます。

問題は、統治者が年齢を重ね後継者の育成を怠ると、後継者同士で又世界戦争が勃発してしまうかも知れない事です。

後継者の選択を間違えると平和は遠のきます。

徳川幕府のように子供を後継者に任ずる方法と、統治者の死を待って次の後継者の地位を力で奪う事もあるでしょう。

独裁国家の泣きどころです。

世界制覇を達成した独裁者は、世代交代を考えた政治手法を取り入れると永遠の世界制覇が可能です。

例えば、統治方法を王様方式からローマ時代の文民による統治に変える。日本の徳川幕府が将軍様を頂点とした政治政策は、大老を筆頭に少数の老中が執り行ったものですが、２６０年続きましたから悪くないのですね。

江戸時代は将軍職を頂点に行政を取り仕切る役職を設けました。

通常の政治政策は老中が執り行い、時には将軍を補佐する大老職が登場しています。

勿論老中より大老の方が上司になりますが、通常は老中が政の中心でした。老中の下には若年寄、さらに勘定奉行、町奉行、寺社奉行大目付、将軍の側用人などが政府の官僚ですね。

地方には所領を管轄する領主がそれぞれに地方政治を執り行い、江戸幕府は地方の政治は領主に任せきりのように思えます。

民主政治と違い独裁国家の模様で将軍様が考えた事を老中が実施していたようです。

地球国が100年後に設立できる事を視野にした、過去の歴史を振り返り、人類の発展と生活の安定、平和主義社会を継続できる行政府を考えなければなりません。

それは皆さんでお考えください。

4

地球国のリーダーとは

世界中の約200カ国の何処かの国のリーダーのうち、世界で初めて地球国を創り永遠の世界平和を成し遂げようと言い出すのは？

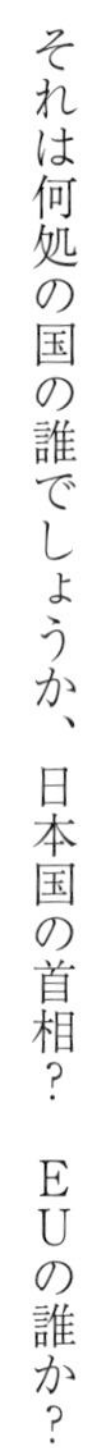

それは何処の国の誰でしょうか、日本国の首相？　EUの誰か？

意外にも中国発かも？　勇気のある国家元首の出現を待っています。

一番良いのは、世界の中心に位置するアメリカの大統領が世界中で起きる問題案件が全て解決できる事を理解して、「地球国を創る」と、先進国会議G7の会議場で、世界の国を一つにまとめ地球連合国を検討しよう、と言えば、世界中の国の指導者は驚きながらも称賛と拍手が鳴りやまないかも？

発言した大統領はアメリカ国民から厳しい追及を受けるでしょう。

反対に、歴史的敵対国との戦争の厭戦的気分から、そうだ、世界平和を目指そうと、大きな支持を受ける事もあるでしょう。

世界の重大ニュースになる軍需産業の株が下落し、平和に貢献する事業会社の株が上昇します。独裁者的政治政策の国は絶対反対、世界中が混乱しながらも正常に判断して、地球連合国案に賛成を表明する国が多くなるでしょう。

問題は、最初に地球国を創ろうと唱える政治家が生まれるかどうかです。


できれば言い出しっぺは日本国にならないでしょうか？

日本国で地球国設立の話題を広めて、政治経済研究家、歴史研究専門家などの意見を集約して、国民の声が大勢なら思い切って世界に発信しても良いと思います。

マスコミ関係の方が大きく取り上げ、多方面に発信して、国民の希望する未来の事を考えるチャンスを造ってもらえれば良いのですが？

地球国の設立によるメリットは、世界平和、軍備費を他の経済発展的部門に回せる、地球温暖化を防げる、地球資源のコントロールができる、国境線をなくし何処の国にでも往来自由、飢える人がいなくなるなど、良い事ばかり。

何故、「地球国の設立」を考えないのか。人類誕生以来実現できていないからといって、現実を変えようとしないのか。

平和を愛する政治家、企業経営者、学者先生の声が反映され、日本の子供に対する教育方針を変えて行く事ができれば、世界を変える事も夢ではなくなります。

5

日本が世界から戦争を無くす

地球国の推進は国際連合（国連）が担うべきですが、
それを唱える人がいつか日本から出てくる、日本国総理大臣の英断が、
核廃絶の一歩になると信じます。

日本国首相が開催場所を定めた広島サミットは、今どきのタイミングを察知しています。

そして首相は、核軍縮を世界に訴えました。

２０２３年5月20日Ｇ７（主要7カ国首脳会議）が、議論の成果をまとめた声明を発表しました。

「法の支配に基づく自由で開かれた国際秩序を堅持する」

核軍縮にも触れました。

開催する場所を広島として、出席された首脳を原爆資料館に案内し、首相が直接説明しました。そして慰霊碑に献花し、その後、バイデン大統領は「核戦争がもたらした破壊的現実を知り、平和を築く努力をやめない」と述べまし

た。原爆投下の当事国のアメリカ大統領がこう口にした事は、岸田首相の広島サミットの大成果と思います。

この後、8月6日岸田首相は広島市の平和記念公園で核兵器のない世界の実現に向けた努力をすると演説をしました。

この続きを私達は期待しましょう。

日本から世界に発信して、人類誕生以来戦争の途絶えた事がない現世を終わらせるのです。

原爆の洗礼を受け、戦後78年間戦争の無い平和な日々を過ごしてきました。

自由で平和なニッポン78年、戦いによる死者ゼロ。戦前の軍国主義国家から平和主義国家を貫いて来た国だから、自信をもって世界平和を唱える事ができます。

地球国が設立されると国境が無くなり、国境が無ければ世界各国の住民は地球国の住民になります。一つの国家一つの国民の誕生です。

地球国人になれば隣国との戦も過去の歴史的対立、宗教対立も無くなります。

この大義名分を持って、国連憲章の改変と地球国の推進役は、国連（国際連合）がなすべき任務だと訴える事が、日本国の務めではないでしょうか？

国連は、世界大戦が終了し、再度同じことが起きないよう設立されました。

それから国連憲章は大きくは変わっていません。

ウクライナ侵攻阻止も叶わない平和主義的憲章を、もう少し未来的発想、人類の繁栄と経済安定と平和主義的発想に重きを置いた憲章に改変して、その目的を果たす役割を、国連が主体となる事を、国連加盟国の了承を採る事から始めましょう。

世界中の197カ国のリーダーはさまざまな反応を示すでしょう。

バカな事、あり得ない、実現限不可能、など、批判続出もする。

やがて、各国の平和主義を愛する人達から、賛否論争が始まり、世界中の一般民衆に知れ渡り、お酒を飲みながら、カフェーで、職場で、学生達の論争が起きるでしょう。

やがて平和と無縁な国の民衆が立ち上がり、平和を愛する人達と一体となって地球国運動が始まります。

民衆の平和運動が世界中に拡がり無視できなくなった自由主義国家のリーダーも、地球国創立方針に賛同するようになります。

日本国首相の大胆な発想を指示する国が増えて、日本国首相を世界平和運動、地球国創立の提案者として、国連が改めて人類史上初めて永遠の世界平和宣言を採択します。

日本国民と、首相として人生と政治生命を賭して世界に発案した勇気は、世界から賛辞を贈られるでしょう。

一市民の願いです。

地球上から戦争を一掃する。平和な世界と地球上で起きる難問題解決を、地球国政府が解決する。

国境が無くなれば、地球上に生まれ生活する人類は皆同じ地球国民、世界中の何処の国に移住するのも自由。飢える人は根絶。自由と平等が守られ言論・宗教も自由。

現在の混迷とドロドロした政治政策を廃棄して、世界中が一丸となって地球国を誕生させれば、人類の繁栄が約束されるのです。

できない、あり得ないと考えるより、やってみなければ結果が解りません。

無駄と思わずに勇気を出して一歩前に足を出しましょう。

何事も留まっていては進化しません、いつの間にか年月だけが過ぎ去ります。

この世に生を受けて、たった１００年の命です。

自分が生まれた形跡を残しましょう。

あなたが誰かにこの話を伝え、聞いた人がさらに伝え、誰もが知る事になれば、世界を動かす事ができるのです。

日本国民が世界に「地球国を創る」運動を始めれば、世界の人が賛同して、世界中の国、約２００カ国中ＥＵ27カ国が賛同するかも知れません。

6

地球国を創らなければ人類の未来に繁栄は無いと断言します

わが国では軍事費の増加がされた上に日本製武器の輸出も考えられている。
平和と武器の輸出は似合わないと思います。本書をお読みいただく皆様のお考えは？

岸田首相が広島サミットで核軍縮を唱えました。

国民は78年間の平和を噛みしめて、平和の有難み、発言の自由の値打ちを知っています。

この自由度を世界の人に伝え、世界平和を成し遂げるには、日本国民が平和を愛する国民であることを政治家に伝えなくてはいけません。マスコミ界のご努力を期待しています。

このブログ文章をまとめている日がウクライナ侵攻開始から５００日目です。

日本では安倍首相が暗殺されて1年余りです。

バイデン大統領がクラスター爆弾をウクライナに供与

する発言がありました。

２０２４年春、出版時にウクライナとロシアで戦争の終結もしくは戦争停止になっていれば良いのですが？

この戦争以外に紛争が継続されている国もあります。大国同士の意地の張り合いのように、歴史的観点から他国を侵略して同一民族に統一すると宣言する国もあります。

日本は78年余り平和を守って来ましたが、この先、数十年先には、日本も戦争に巻き込まれる事が予想されます。

平和宣言、地球国設立構想を早くに世界に向けて唱えなければ、近い将来、核搭載のミサイルが飛び交い世界の終わりになるかも知れません。そうならないように祈るだけです。


国連憲章を改変し世界中の国が一つになり、地球国を創る理想論が、世界中の全ての国家と元首と民衆の支持を得るには、数十年の長い期間を掛けなければならないでしょう。

地球国が誕生するまでの期間はどの位掛かるでしょうか。

50年では世界中の国家の了承を得るには無理があります。

歴史的に対立する国同士の民衆の理解を得るのも難儀な事です。

数百年先祖代々宗教の違いで戦ってきた歴史、国境紛争が継続している国、双方の戦死者への敬愛と相手国に対する憎しみを子供の時から学んだ民衆の心を解き放し、地球国の設立に同意してもらう、その説得には長い時間を要します。

最初に地球国を提唱した日本国首相も、世代交代して何代も交代劇を経ながら言い続ける事になります。

国連を動かす人たちも世代が代わるでしょう。

この運動を続けることを受け継いだリーダーのエネルギーが燃え尽きてはいけない、世界平和運動は無限の根気のいる構想なのです。

人類誕生以来の戦いの無い世界は、世界中の人がみんな賛同するまで完成できません。

地球国ができる事で、世界のリーダーの中には自分に不利益な世界ができる事に反対する人も現れるでしょう。

経済的に恵まれない人も、軍需産業で成り立つ会社も反対するでしょう。

世界中の人達の賛同を得るには、諦めない心で続ける以外にありません。

かすかな望みは、地球温暖化の進行が進み、各国が個別に対応していては温暖化を防ぎきれなくなること。世界中の食料が枯渇してくると、お金で食料品が買えないようになり、食料自給率の低い国（日本も含む）の飢餓が始まり、大勢の人が餓死する事態が訪れ、人類の生存を脅かす事態になるでしょう。近未来にそれが起こりそうな気がします。

残念な状況になって、解決策を各国が検討した結果、地球国を創る必要に駆られて、世界がまとまります。地球国を誕生させなければ人類が滅ぶことを民衆が理解すれば、１００年を待たずに解決しそうな気がします。

どんな事情が起きても地球国を創らなければ人類の未来に繁栄は無いでしょう。

7

国の貧富の差の改善は

難問を解決するには197カ国の国情の違いが問題になる。
資源国家では国民に課税されない国もあり、経済性に恵まれた国では国民の幸せ度が高い。

別に地球国にしなくても国民の満足度が高い国は、地球国が出来る事で貧国を支援する政策に反対するでしょう。

地球国が誕生すれば、飢える人をなくし、食物を含む全ての地球資源を必要な国に届けることで不公平感を無くし、自由で平和な国家ができると述べて来ました。

砂漠の緑化と地球温暖化の防止、海洋資源の保護と安定した漁獲法、国境の廃止で何処の国にでも自由往来ができる。核やミサイルの廃棄、軍備費を活用して新しい化学製品を生み出す。未来研究機関を造り、未来予測に基づく経済政策で未来に繁栄する国家を創れます。

ですが、地球国創生に反対する国も多数あるでしょう。

現在の国の政策に問題なく、安定して生活している国民には、世界の国を統合する事で今の生活が脅かされる国も出てきそうです。

世界中の国の中には、税金の無い国も幾つかあります。

地球国ができる事で国民が税金を納める事が生じると思うと、誰しも反対するでしょう。

地下資源が豊富で輸出によって経済が安定し、納税の必要が無い国の国民の賛同を得られる為には、現在の生活水準を保護する事も必要です。

１９７カ国それぞれの政治手法、政治政策を無視する事はできません。

資源のある国から無資源の貧国に経済を移転する事の難しさを実感します。

国の貧富の差を如何に改善して行くか、検討課題は多く難航する事は必至です。

息の長い運動になるだろうけど、続けていけば、何時か雲間から明るい太陽の日差しが差し込みます。地球上に平和運動が進んで地球国が誕生し、人類の知力と努力と進化で人の営みが永遠に途絶える事のない世界が始まります。

思考力、想像力、知力を使い、長い歴史に基づく未来予測ができるのは地球上の生物で人類だけです。

過去の歴史的な不幸な出来事で敵対している国同士でも、その過去の出来事を箱の中に閉じ込め鍵をかけて、今から新しい友人、同国民としてスタートする、それが人類の永遠の平和を継続できるチャンスです。

私達の生きている21世紀では成功しないでしょうが、私達の子供世代につなぎ、22世紀には平和な世界で不自由無く生きて行ける環境を、豊かな生活ができる環境のプレゼントを残しましょう。私達の世代が、子孫から感謝される先祖となりましょう。

私達が生きた証を未来に残しましょう。

8 誰が地球国創設を呼びかけるのか

世界で初めて地球国を創ろうと呼びかける指導者は、日本国首相かアメリカ合衆国大統領か？　中国の最高責任者か？

意外にもEU加盟国の何処かの大統領か首相が声を上げるかも知れません。

呼びかけに呼応してEUの国々が興味を示して支持すると地球国設立の成功率が高くなります。

加盟国だけで27カ国、力強い味方です。

EUが地球連合国の設立に動きだすと、日本の立場はアジア圏の国々との統合的合意を目的にTPP加盟国から説得を始めます。

やがてアフリカ圏も、南米の国も同調して、地域別地球国連合設立の合意網ができます。

EU、アジア圏、南米圏、アフリカ圏、この4地域別賛同国が出来上がれば、4大大陸の大半が賛成すると、目的は成功したものと言えます。

問題は独裁国、専横国家、地域対立、宗教的スタイルなど歴史的犬猿の仲の国です。その説得には数十年は掛かるでしょう。

100年後には地球国が設立できていると思いますが、地球温暖化の勢いと、世界中のどこかで起こる紛争を抑えられない現状では、100年先では遅すぎるように思います。

すぐに行動を起こし30年~50年以内に地球国で問題解決をしなければ、私達の子孫に、豊かで幸せな生活の保障ができないおそれがあると考えてしまいます。

地球国を創立し、人類が平和で穏やかな豊かな生活を約束できる世界にするのは、私達の大事な役目です。

でも、皆、解っているけど、誰も言い出しません。

世界中の政治を司る政治家も地方自治体で活躍する政治家も口にしません。

できないと思っているからでしょう。

できない事が解っているから、馬鹿な事を言い出せない。

何処かの国の総理大臣が世界で初めて口に出しても、何処の国のリーダーも無視すると思っている。

だから、誰も信じてもらえないので黙っている。

世界の誰も言い出せないので、日本国の神戸の爺さんが言わしてもらう。


地球国を創ろう、核もミサイルも戦車も要らない。

永遠の平和国家を誕生させる、世界中の軍事費250兆円をゼロにする。

軍事費250兆円を平和利用する、世界中から飢える人を根絶できる。

人類誕生から続いてきた争いを終わらせ、地球上に人類史上初めて平和な世界ができる。


地球連合国が誕生すると、素敵な世界が待っています。

ビザも、パスポートも不要で何処の国にでも自由に行き来できる。

何故なら一つの国の中だから。


アメリカに住むのもヨーロッパの何処の国に住むのも国境が無ければ、今の日本の国の中で好きな街に引っ越しするのと同じ事、観光ビザもパスポートも不要、自由に世界中を旅行も移住も自由です。

地球国ができる頃、100年先の未来には交通システムもガラリと変わります。

飛行機はロケットのようになり東京〜ニューヨーク間は3時間、東京〜大阪は夢の超特急で60分。大阪駅から大阪空港までドローン車で10分、未来の乗り物は画期的に旅行時間を快適に時間短縮ができ、人の行動範囲が広まります。


地球国を誕生させると人類の幸せ度が最高になります。

過去の時代を遡る人類誕生から争いが続いた人類の平和が訪れます。

実に400万年前から続いた人との争い事に終止符を打ちましょう。

未来に生きる私達の子孫の為に、私達の時代に、地球国の先鞭をつけて、100年先に生きる私達の子孫から、有難うと言われるようにしませんか？


人類が忘れていけないのは、太陽と地球の暖かい恵みのお陰で生存させて戴いている事です。それを時々思い出してください。

太陽が地球上をくまなく照らし、新鮮な空気を得て生きている事の有難みを感じてください。

私達は、地球上に勝手に住みついて、地球資源を勝手に使い、酸素を消費して二酸化炭素の排出を増やし、自由奔放に生きています。

人間の非道を知った地球が、怒りでマグマを地上に吹き上げ、腹筋のように地殻変動を引き起こせば、地球誕生時の状態、製鉄会社のドロドロに溶けた溶鉱炉の中と同じ状態にもどり、地球上の物体は全て消滅してしまいます。

改めて、人類の繁栄は地球と太陽の恩恵を崇めながら生きて行くのが人の道ではないでしょうか?

人類の奢りにも、黙って物言わない優しい地球の恩恵を忘れてはなりません。

おわりに

地球国の先

２０１９年1月から「地球は一つ-ＯＮＥ ＥＡＲＴＨ-」白川のブログにアップしてまいりました原稿を、今般出版させていただきました。イラスト作成者様のご尽力を賜り、可愛い、素晴らしいイラストを作成いただき、お陰様で文字数の多い内容ながら読みやすくしていただきました。

この本が出版された後も、ブログは継続いたします。時々ブログにご訪問いただき、世界を一つの国にする目的を理解いただきますようお願い申し上げます。

この本をお読みいただいた人も含め、私達の世代が終わり、次の世代も終わる２００年後、人類を始め生物が生存生活する事が困難な時代になってから気づいても時すでに遅きに失する事になるでしょう。

地球国を目指して、１００年を掛けて地球国を創立して、１０１年目から緑化事業を始めます。

多分、10年では大きな成果は出ないでしょうが、20～30年目には一部の砂漠で砂漠の周辺が緑に覆われ、緑化できたところでは、酪農、農業が営まれ、経済的に砂漠の緑化は採算が合うと解ると、緑化事業に必要な機械化が進み人員が集まり雇用が生まれ、直接砂漠の緑化を進める人、緑化事業で食物を栽培する人、家族など多数の労働者の支援をするビジネスが生まれます。

穀物を輸送する人、酪農を商品に変える工場もでき、ホテルができて、観光施設も生まれ、多くの人が生む町が生まれ、やがて街になり経済利益は軍需産業を超える利益が生まれ、同時に地球温暖化防止にも多大な効果を与えます。


地球国創立後の100年、今から200年後には世界の砂漠の大半は緑の穀倉地帯に変化するでしょう。

草木のない、北極と南極も砂漠の分類に入るかも知れませんが、両極は緑化できません。

200年後には、砂漠の緑化により地球温暖化が落ち着き、環境保全が整い、一面氷に覆われた北極が再現できる事を願うばかりです。

北極熊も生態系の戻りで食料のアシカも増えて北極熊に取っても理想的環境になるでしょう。

南極の氷も復活を目指しますが3000万年を掛けてできた氷です。元に戻すには時間が掛かりそうです。

集中豪雨、スーパー台風も穏やかな気候へと変化します。

元の地球環境に戻すには200年掛かります。

200年後の世界は希望に輝いているかも？

俺に何らのメリットがない。そうです、メリットはありません。

でも、あなたの子孫の未来はあなたにも責任はあります。

それなら、子供は生まない？

いえ、子供は未来繁栄に必要です。それも、さまざまな意見、考え方があり、皆様の良心にお任せします。

「この思いを世界中の青少年に届けたい」

若さ溢れる時は人生は長すぎると思います。老人になると短い人生だと感じます。

地球の年齢は56億年、それと比べると私達の人生はたった１００年です。物凄く短い。

貴君は自分の夢、希望、目的を持っていますか？


誰でも何らかの夢を持っているでしょう。

そうです、夢が大事です。人生１００年の人生双六（すごろく）を頭に描きましょう。

まず、何時かは人生が終わる時が来ます。それをゴールに見立てて年代別の自分を想像します。

野球少年は大リーガーで活躍する日本の選手に憧れ、サッカー少年は世界で活躍する自分を想像する。

日本の総理大臣を目指す人。

東京大学を目指して東大を卒業しても人は次の夢を描きます。

人生は夢を実現した、その先が大事です。

夢が叶ったその先から命つきるその日まで大小の目的を果たす。
思いが叶い喜び、挫折を味わい涙して、自分の不甲斐なさに悔やみ、夢に向かって労苦する。その生き方を幸せといいます。

日本の少年、少女に伝えたい世界を体験して地球規模で日本を俯瞰してください。
日本の未来を創るのは貴君です。
できない事も、できそうもない事も、ヤレバできる可能性が見えて来ます。
悩みながら、知性を磨き努力を重ね、年月が過ぎると、夢が叶う。
勿論挫折もあるよ。
遠回りしても良いよ。
諦めても良いよ。
それでも、時が過ぎれば又、夢を持ち続ける。
それが人の人生、生きている事の素晴らしさを堪能してください。
あなた自身で自分の未来を変えるのです。

〈著者紹介〉

白川欽一（しらかわ きんいち）

1968年マンション管理会社株式会社KBSシラカワを設立。

2008年NPO法人アマ・バンド&スポーツゴルフを設立。

2019年1月から「地球は一つ -ONE EARTH-」名でブログを掲載。

その中の一部を『未来都市神戸構想』（幻冬舎メディアコンサルティング）として2023年9月に出版し、続編の今回は「地球国」をテーマにしました。


世界中の国197カ国を統合して「地球国を創る」と人類みんな兄弟、一つの国家が出現する。核もミサイルも不要、世界平和と地球温暖化対策、食料、資源などの難問全て解決できます。

ビザもパスポートもなしで何処の国にでも旅行も移住も自由往来、今の日本国内と同じ。

人類の平和で豊かな生活を100年後に実現する。

地球の未来を予測した本です。

地球国を創る

2024年2月29日　第1刷発行

著　者　　白川欽一
発行人　　久保田貴幸

発行元　　株式会社 幻冬舎メディアコンサルティング
〒151-0051　東京都渋谷区千駄ヶ谷4-9-7
電話　03-5411-6440（編集）

発売元　　株式会社 幻冬舎
〒151-0051　東京都渋谷区千駄ヶ谷4-9-7
電話　03-5411-6222（営業）

印刷・製本　中央精版印刷株式会社
装　丁　　秋庭祐貴

検印廃止

Printed in Japan
ISBN 978-4-344-69044-8 C0095
幻冬舎メディアコンサルティングＨＰ
https://www.gentosha-mc.com/